成人・小児進行固形がんにおける
臓器横断的ゲノム診療のガイドライン 第3版 2022年2月

Clinical Practice Guidelines for Tumor-Agnostic Treatments in Adult and Pediatric Patients with Advanced Solid Tumors toward Precision Medicine

Led by Japanese Society of Medical Oncology (JSMO), Japan Society of Clinical Oncology (JSCO) and The Japanese Society of Pediatric Hematology/Oncology (JSPHO)

公益社団法人 日本臨床腫瘍学会／一般社団法人 日本癌治療学会／
一般社団法人 日本小児血液・がん学会　編

金原出版株式会社

発刊にあたり

　20世紀後半に発がんの分子機構の解明が急速に進み，がんの薬物療法は21世紀初頭からがん分子標的治療薬の臨床開発が加速しました。2010年頃からは，非小細胞肺癌を初めとする固形がんの一部では分子標的治療薬とその体外診断薬の開発が同時に進みました。そして，2021年2月の時点で50種類以上の標的分子に対して130種類以上の薬剤が内外で薬事承認されています。さらに最近ではがんゲノム解析技術の進歩により，進行がんの体外診断薬および分子標的治療薬の開発は，これまでの臓器別，小児・成人別，造血器腫瘍・固形腫瘍別から臓器横断的に移行しつつあります。このような背景から，国内の診療ガイドラインはこれらのカテゴリーを超えて複数の学会が合同で作成する時代を迎え，「成人・小児進行固形がんにおける臓器横断的ゲノム診療のガイドライン」が発刊されました。一般社団法人日本癌治療学会と公益社団法人日本臨床腫瘍学会が編纂し一般社団法人日本小児血液・がん学会が協力して作成したわが国で初めての診療ガイドラインです。前回2019年の改訂2版では，当時，DNAミスマッチ修復機構の異常の検査法と免疫チェックポイント阻害薬適応，*NTRK*（neurotrophic receptor tyrosine kinase）遺伝子の異常の検査法とTRK阻害薬の適応の2点を中心に適格な診療指針が示され，保険償還が間もない時期の刊行とも相まって専門医の好評を得ました。

　今回の主な改訂点は，①ミスマッチ修復遺伝子産物の免疫組織化学（IHC）検査の承認，②第2のNTRK阻害薬ラロトレクチニブの薬事承認，③TMB-high進行固形癌に対するペムブロリズマブの承認申請（本稿執筆時），④その他の進行中の臓器横断的バイオマーカー（BRAF/ERBB2等）に対する薬剤開発に対応するもので，めまぐるしく変化する保険診療の中にあってタイムリーな改訂です。解説は，医学的エビデンスに加え，国内の薬事承認および保険収載状況や海外の診療ガイドラインとの比較により読者がこれらの新しい診断・治療を正しく理解できるように配慮されています。また，クリニカルクエスチョンに対する推奨は，最新の重要な学会発表を含めた文献のシステマチックレビューにより，作成委員の投票結果を開示して決定されています。医学的エビデンスとして頂点となる大規模比較試験によるエビデンスが乏しい希少疾患分画に対して優先薬事承認が行われるがんゲノム医療時代にマッチしており，読者が推奨内容をより深く理解できるように配慮されています。この診療ガイドラインががん治療に係わる多くの医療従事者に速やかに周知され，対象となるがん患者に質の高い治療が速やかに提供されることを切に望みます。

　最後に，馬場英司委員長をはじめ本ガイドラインの作成ワーキンググループの皆様には，多大なるご尽力に心から感謝いたします。

2022年（令和4年）2月

公益社団法人 日本臨床腫瘍学会　理事長

石岡　千加史

発刊にあたり

　がんゲノム医療が本邦でも保険診療も含めて本格的に開始され，これまで発生臓器ごとに策定されてきたがん診療ガイドラインもより一層，臓器の枠組みを超えて横断的に作成する必要性が増してきています。

　日本癌治療学会は領域，職種横断的ながん医療関連学術団体として，各種専門領域学会では取り組みにくい臓器横断的課題に積極的に着手して参りました。今回の取り組みも本学会の重要課題である臓器横断的な診療ガイドラインの策定の一環として関連各学会の皆様とともに推進して参りました。

　今回の「成人・小児進行固形がんにおける臓器横断的ゲノム診療のガイドライン（第3版）」は，「成人・小児進行固形がんにおける臓器横断的ゲノム診療のガイドライン（第2版）」をもとに，さらに蓄積された論文，エビデンスを対象として，しっかりとしたシステマチックレビューを行い，ここに発出するに至りました。馬場英司委員長，西山博之副委員長，寺島慶太副委員長をはじめ膨大な情報を丹念に評価，解析を行ってくださった委員/アドバイザーの皆様のご尽力に心から感謝の意を表します。

　このガイドラインの第3版改訂では第2版に続きミスマッチ修復機能欠損（dMMR）およびNTRK融合遺伝子を有する固形がんを中心にクリニカルクエスチョンを設定しています。第2版から約2年と比較的短い期間ですが，この間に遺伝子パネル検査の拡大により急速に多くのエビデンスが得られており，改訂の必要に迫られました。今後，リキッドバイオプシーの導入によりパネル検査の件数は飛躍的に増えると思います。二次的所見として遺伝性腫瘍症候群としてのリンチ症候群の同定が増える可能性があります。本ガイドラインが最適な治療薬の選定と，患者さんに理解しやすい適切な遺伝カウンセリングを行う上で重要な役割を果たすものと期待しています。また，遺伝子パネル検査が増えるにつれて，その結果の解釈に関して各施設でのエキスパートパネルの負担が増えております。dMMR/NTRKともに治療方法の確立された標的遺伝子変異として今後のその重要性がますます大きくなると期待されており，適切なガイドラインがエキスパートパネルや遺伝子カウンセリングの負担を少しでも減らすことに貢献できるのではないかと期待しています。

　今後，この領域においてさらなるエビデンスが蓄積されることが予想され，日本癌治療学会としても各関連諸学会の皆様とともに，この活動を継続して参りたいと存じます。

2022年（令和4年）2月

一般社団法人 日本癌治療学会　理事長

土岐　祐一郎

発刊にあたり

　日本臨床腫瘍学会と日本癌治療学会によって編集された「成人・小児進行固形がんにおける臓器横断的ゲノム診療のガイドライン」の初版発刊後，日本小児血液・がん学会も2019年の第2版から協力させて頂きました。今回，第3版の改訂にあたって三学会の編集活動として参加させて頂き光栄に存じます。吉野孝之前委員長と馬場英司委員長をはじめ関係者の皆様に心より御礼申し上げます。

　日本小児血液・がん学会は，小児の血液疾患とがん領域の学術研究，社会への広報，調査研究および資格認定等を行い，わが国の小児血液疾患と小児がんの医学と医療の向上に寄与することを目的とする学術団体です。1）学術集会，研究発表会，講演会の開催等による学術研究事業，2）学会誌及び論文図書等による広報事業，3）調査研究事業，4）専門医認定基準の策定，公表および資格認定事業，5）国内外の諸団体との連携事業，のほか，小児血液・がん領域に関連する活動を実施しています。

　年間100万人を超えるわが国のがん罹患者数のうち，小児がんは0.25％と稀少です。15歳未満の年間発生は約2100人で半数以上は造血器腫瘍ですが，固形腫瘍の種類は多様で，病理学的にも鑑別診断が難しい未分化なものが多くあります。その稀少性と多様性から，遺伝子診断とともに，同一がん種へのリスク群別，層別化治療研究は小児領域で早くから取り入れられてきました。がん化学療法，外科手術，放射線治療などの集学的治療が進み，国内の小児がん拠点病院や連携病院でも小児科と小児外科を中心とする多職種のTumor boardが組織されるようになりました。小児がん全体の治癒率は80％に達するようになり，治療を終えたAdolescent and Young Adult（AYA）世代（15～39歳の思春期・若年成人）が社会で活躍する時代です。精神的・肉体的に成長途上にある彼らは，小児から成人へ自らの人生を歩み始め，次の世代に命を繋ぎます。一方で，AYA世代に発症するがんは15歳までの発症数の10倍にも相当します。

　がんゲノム医療の実装は，小児がん・稀少がんの診断と予後予測，そして治療方針の決定に大きくかかわります。効果的な治療に至りその恩恵を受ける患児はますます増えると予想されます。小児領域では遺伝性腫瘍などのがん素因とともに，とくに二次所見として様々な遺伝性素因に関する情報の取扱いに注意しなくてはなりません。遺伝カウンセリングは小児のみならず成人領域のゲノム医療体制の中でも重要性が増しています。私たちは成人のゲノム医療提供体制とその基盤を共有しながら，小児がん特有の課題についてAYA世代まで見据えて解決していくことが使命です。本ガイドラインが進化を続け，小児から成人まで広く活用されることを祈ってやみません。

2022年（令和4年）2月

一般社団法人 日本小児血液・がん学会　理事長

大賀　正一

『成人・小児進行固形がんにおける臓器横断的ゲノム診療のガイドライン』
第3版　ワーキンググループ

委員長

馬場　英司（九州大学大学院医学研究院　連携社会医学分野）[1]

副委員長

寺島　慶太（国立成育医療研究センター　小児がんセンター脳神経腫瘍科）[3]

西山　博之（筑波大学医学医療系　腎泌尿器外科）[2]

作成委員

赤木　　究（埼玉県立がんセンター　腫瘍診断・予防科）[1]

五十嵐　中（横浜市立大学医学群　健康社会医学ユニット）[2]

池田　公史（国立がん研究センター東病院　肝胆膵内科）[2]

門脇　重憲（愛知県がんセンター　薬物療法部）[2]

釼持　広知（静岡がんセンター　呼吸器内科）[1]

小寺　泰弘（名古屋大学大学院医学系研究科　消化器外科学）[2]

小峰　啓吾（東北大学病院　腫瘍内科）[1]

小山　隆文（国立がん研究センター中央病院　先端医療科）[1]

真田　　昌（国立病院機構　名古屋医療センター　臨床研究センター　高度診断研究部）[3]

高野　忠夫（東北大学病院　臨床研究推進センター）[2]

土原　一哉（国立がん研究センター　先端医療開発センター　トランスレーショナルインフォマティクス分野）[1]

内藤　陽一（国立がん研究センター東病院　総合内科）[1]

西原　広史（慶應義塾大学　腫瘍センターゲノム医療ユニット）[1]

菱木　知郎（千葉大学大学院医学研究院小児外科学）[3]

平沢　　晃（岡山大学大学院医歯薬学総合研究科　病態制御科学専攻　腫瘍制御学講座　臨床遺伝子医療学分野）[2]

前田　　修（名古屋大学医学部附属病院　化学療法部）[1]

三島　沙織（国立がん研究センター東病院　総合内科）[2]

宮地　　充（京都府立医科大学大学院医学研究科小児科学）[3]

谷田部　恭（国立がん研究センター中央病院　病理診断科）[2]

（五十音順）

アドバイザー

吉野　孝之（国立がん研究センター東病院　消化管内科）

外部評価委員

岡本　　渉（広島大学病院　がん治療センター）[1]

沖　　英次（九州大学大学院　消化器・総合外科）[2]
小野　　滋（自治医科大学　小児外科）[3]
梶山　広明（名古屋大学　産婦人科）[2]
加藤　元博（東京大学医学系研究科　生殖・発達・加齢医学専攻　小児医学講座）[3]
関根　郁夫（筑波大学医学医療系　臨床腫瘍学）[1]
大賀　正一（九州大学大学院医学研究院成長発達医学）[3]
田尾佳代子（国立がん研究センター中央病院　小児腫瘍科）[1]
林　　直美（がん研有明病院　ゲノム診療部）[2]

[1]日本臨床腫瘍学会　[2]日本癌治療学会　[3]日本小児血液・がん学会

「成人・小児進行固形がんにおける臓器横断的ゲノム診療のガイドライン 改訂第3版」の利益相反事項の開示について
―日本臨床腫瘍学会―

本ガイドラインは，日本医学会が定めた「診療ガイドライン策定参加資格基準ガイダンス（平成29年3月）」に準拠した上で作成された。報告対象とする企業等（以下，報告対象企業等とする）は，医薬品・医療機器メーカー等医療関係企業一般並びに医療関係研究機関等の企業・組織・団体とし，医学研究等に研究資金を提供する活動もしくは医学・医療に関わる活動をしている法人・団体等も含めた。

＜利益相反事項開示項目＞　該当する場合具体的な企業名（団体名）を記載，該当しない場合は"該当なし"と記載する。

■ COI自己申告項目

1. 本務以外に団体の職員，顧問職等の報酬として，年間100万円以上受領している報告対象企業名
2. 株の保有と，その株式から得られた利益として，年間100万円以上受領している報告対象企業名
3. 特許権使用料の報酬として，年間100万円以上受領している報告対象企業名
4. 会議の出席（発表，助言など）に対する講演料や日当として，年間50万円以上受領している報告対象企業名
5. パンフレット，座談会記事等に対する原稿料として，年間50万円以上受領している報告対象企業名
6. 年間100万円以上の研究費（産学共同研究，受託研究，治験など）を受領している報告対象企業名
7. 年間100万円以上の奨学（奨励）寄附金を受領している，または，寄付講座に属している場合の報告対象企業名
8. 訴訟等に際して顧問料及び謝礼として年間100万円以上受領している報告対象企業名
9. 年間5万円以上の旅行，贈答品などの報告対象企業名

下記に本ガイドラインの作成にあたった委員の利益相反状態を開示します。

＜診療ガイドライン作成委員会参加者のCOI開示＞

氏名（所属機関）	利益相反開示項目				
	開示項目1	開示項目2	開示項目3	開示項目4	開示項目5
	開示項目6	開示項目7	開示項目8	開示項目9	
作成ワーキンググループ委員 赤木 究（埼玉県立がんセンター）	該当なし	該当なし	該当なし	MSD，大鵬薬品工業	該当なし
	該当なし	該当なし	該当なし	該当なし	
釼持 広知（静岡県立静岡がんセンター）	アストラゼネカ，EPSインターナショナル，EPクルーズ，第一三共，中外製薬，ノバルティスファーマ	該当なし	該当なし	該当なし	
小峰 啓吾（東北大学病院）	該当なし	該当なし	該当なし	該当なし	該当なし
	該当なし	該当なし	該当なし	該当なし	
小山 隆文（国立がん研究センター中央病院）	該当なし	該当なし	該当なし	シスメックス	該当なし
	PACT Pharma	該当なし	該当なし	該当なし	
土原 一哉（国立がん研究センター）	該当なし	該当なし	該当なし	該当なし	該当なし
	該当なし	該当なし	該当なし	該当なし	
内藤 陽一（国立がん研究センター東病院）	該当なし	該当なし	該当なし	大鵬薬品工業，中外製薬，日本イーライリリー，ノバルティスファーマ，ファイザー	該当なし
	エーザイ，第一三共，大鵬薬品工業，日本イーライリリー，日本ベーリンガーインゲルハイム，F. Hoffmann-La Roche，ファイザー	該当なし	該当なし	該当なし	
西原 広史（慶應義塾大学）	該当なし	該当なし	該当なし	該当なし	該当なし
	アキュルナ，三菱スペース・ソフトウエア	該当なし	該当なし	該当なし	
馬場 英司（九州大学大学院）	該当なし	該当なし	該当なし	第一三共，大鵬薬品工業，中外製薬，日本イーライリリー	該当なし
	メディサイエンスプラニング	大鵬薬品工業，中外製薬	該当なし	該当なし	
前田 修（名古屋大学医学部附属病院）	該当なし	該当なし	該当なし	該当なし	該当なし
	該当なし	日本イーライリリー	該当なし	該当なし	
アドバイザー 吉野 孝之（国立がん研究センター東病院）	該当なし	該当なし	該当なし	小野薬品工業，大鵬薬品工業，武田薬品工業，中外製薬，日本イーライリリー，バイエル薬品，メルクバイオファーマ	該当なし
	アムジェン，MSD，小野薬品工業，サノフィ，第一三共，大鵬薬品工業，大日本住友製薬，中外製薬，パレクセル・インターナショナル	該当なし	該当なし	該当なし	
外部評価委員 岡本 渉（広島大学病院）	該当なし	該当なし	該当なし	該当なし	該当なし
	該当なし	該当なし	該当なし	該当なし	
関根 郁夫（筑波大学）	該当なし	該当なし	該当なし	該当なし	該当なし
	該当なし	該当なし	該当なし	該当なし	
田尾 佳代子（国立がん研究センター中央病院）	該当なし	該当なし	該当なし	該当なし	該当なし
	該当なし	該当なし	該当なし	該当なし	

「成人・小児進行固形がんにおける臓器横断的ゲノム診療のガイドライン 改訂第3版」の 利益相反事項の開示について ―日本癌治療学会―

本ガイドラインは，日本医学会が定めた「診療ガイドライン策定参加資格基準ガイダンス（平成29年3月）」に準拠した上で作成された。報告対象とする企業等（以下，報告対象企業等とする）は，医薬品・医療機器メーカー等医療関係企業一般並びに医療関係研究機関等の企業・組織・団体とし，医学研究等に研究資金を提供する活動もしくは医学・医療に関わる活動をしている法人・団体等も含めた。

＜利益相反事項開示項目＞ 該当する場合具体的な企業名（団体名）を記載，該当しない場合は"該当なし"と記載する。
■ COI自己申告項目

1. 本務以外に団体の職員，顧問職等の報酬として，年間100万円以上受領している報告対象企業名
2. 株の保有と，その株式から得られた利益として，年間100万円以上受領している報告対象企業名
3. 特許権使用料の報酬として，年間100万円以上受領している報告対象企業名
4. 会議の出席（発表，助言など）に対する講演料や日当として，年間50万円以上受領している報告対象企業名
5. パンフレット，座談会記事等に対する原稿料として，年間50万円以上受領している報告対象企業名
6. 年間100万円以上の研究費（産学共同研究，受諾研究，治験など）を受領している報告対象企業名
7. 年間100万円以上の奨学（奨励）寄附金を受領している，または，寄付講座に属している場合の報告対象企業名
8. 訴訟等に際して顧問料及び謝礼として年間100万円以上受領している報告対象企業名
9. 年間5万円以上の旅行，贈答品などの報告対象企業名

下記に本ガイドラインの作成にあたった委員の利益相反状態を開示します。

＜診療ガイドライン委員会参加者のCOI開示＞

氏名（所属機関）		利益相反開示項目				
		開示項目1	開示項目2	開示項目3	開示項目4	開示項目5
		開示項目6	開示項目7	開示項目8	開示項目9	
作成ワーキンググループ委員	小寺 泰弘 （名古屋大学大学院医学系研究科 消化器外科学）	該当なし	該当なし	該当なし	大鵬薬品工業，第一三共，小野薬品工業，日本イーライリリー	該当なし
		該当なし	中外製薬，大鵬薬品工業，ジョンソン・エンド・ジョンソン，ヤクルト本社，日本イーライリリー，小野薬品工業，日本化薬，サノフィ，武田薬品工業	該当なし	該当なし	
	池田 公史 （国立がん研究センター東病院 肝胆膵内科）	該当なし	該当なし	該当なし	日本イーライリリー，中外製薬，バイエル薬品，ノバルティスファーマ，エーザイ	該当なし
		Merus N.V.，EPクルーズ，小野薬品工業，ブリストル・マイヤーズスクイブ，アストラゼネカ，中外製薬，エーザイ，ジェイファーマ，MSD，メルクバイオファーマ，カイオム・バイオサイエンス，Delta-Fly Pharma，日本イーライリリー，ファイザー，バイエル薬品，シミック，ヤクルト本社，武田薬品工業，ASLAN，ノバルティスファーマ，メルクセローノ	該当なし	該当なし	該当なし	
	門脇 重憲 （愛知県がんセンター薬物療法部）	該当なし	該当なし	該当なし	該当なし	該当なし
		MSD	該当なし	該当なし	該当なし	
	高野 忠夫 （東北大学医学部 産婦人科）	該当なし	該当なし	該当なし	該当なし	該当なし
		該当なし	該当なし	該当なし	該当なし	
	西山 博之 （筑波大学医学医療系 腎泌尿器外科）	該当なし	該当なし	該当なし	MSD，オリンパス，アストラゼネカ，中外製薬，アステラス製薬	該当なし
		中外製薬，アステラス製薬，小野薬品工業	バイエル薬品，小野薬品工業，アステラス製薬，武田薬品工業	該当なし	該当なし	
	平沢 晃 （岡山大学大学院医歯薬学総合研究科 臨床遺伝子医療学）	該当なし	該当なし	該当なし	中外製薬	該当なし
		該当なし	該当なし	該当なし	該当なし	
	三島 沙織 （国立がん研究センター東病院 消化管内科）	該当なし	該当なし	該当なし	該当なし	該当なし
		該当なし	該当なし	該当なし	該当なし	
	谷田部 基 （国立がん研究センター中央病院 病理診断科）	該当なし	該当なし	該当なし	アストラゼネカ，中外製薬	該当なし
		該当なし	該当なし	該当なし	該当なし	
	五十嵐 中 （横浜市立大学医学群 健康社会医学ユニット）	該当なし	該当なし	該当なし	ノボノルディスクファーマ，GSK，ノバルティスファーマ，小野薬品工業，サノフィ	該当なし
		インテュイティブサージカル合同会社，大塚製薬，アライドメディカル，DeSCヘルスケア，大鵬薬品工業，ボストン・サイエンティフィック	東京大学大学院薬学系研究科医療政策学講座（武田薬品工業，ギリアド・サイエンシズ，テルモ，CSLベーリング，富士フイルム，医療法人社団至高会）	該当なし	該当なし	
外部評価委員	梶山 広明 （名古屋大学大学院 医学系研究科 産科婦人科学）	該当なし	該当なし	該当なし	中外製薬	該当なし
		該当なし	該当なし	該当なし	該当なし	
	沖 英次 （九州大学大学院 消化器・総合外科）	該当なし	該当なし	該当なし	日本イーライリリー，中外製薬，大鵬薬品工業，バイエル薬品，武田薬品工業，サノフィ，小野薬品工業，メルクセローノ	該当なし
		該当なし	該当なし	該当なし	該当なし	
	林 直美 （がん研究会有明病院 ゲノム診療部 総合腫瘍科）	該当なし	該当なし	該当なし	該当なし	該当なし
		該当なし	該当なし	該当なし	該当なし	

「成人・小児進行固形がんにおける臓器横断的ゲノム診療のガイドライン 改訂第3版」の利益相反事項の開示について
―日本小児血液・がん学会―

本ガイドラインは，日本医学会が定めた「診療ガイドライン策定参加資格基準ガイダンス（平成29年3月）」に準拠した上で作成された。報告対象とする企業等（以下，報告対象企業等とする）は，医薬品・医療機器メーカー等医療関係企業一般並びに医療関係研究機関等の企業・組織・団体とし，医学研究等に研究資金を提供する活動もしくは医学・医療に関わる活動をしている法人・団体等も含めた。

＜利益相反事項開示項目＞ 該当する場合具体的な企業名（団体名）を記載，該当しない場合は"該当なし"と記載する。

■ COI 自己申告項目

1．本務以外に団体の職員，顧問職等の報酬として，年間100万円以上受領している報告対象企業名
2．株の保有と，その株式から得られた利益として，年間100万円以上受領している報告対象企業名
3．特許権使用料の報酬として，年間100万円以上受領している報告対象企業名
4．会議の出席（発表，助言など）に対する講演料や日当として，年間50万円以上受領している報告対象企業名
5．パンフレット，座談会記事等に対する原稿料として，年間50万円以上受領している報告対象企業名
6．年間100万円以上の研究費（産学共同研究，受諾研究，治験など）を受領している報告対象企業名
7．年間100万円以上の奨学（奨励）寄附金を受領している，または，寄付講座に属している場合の報告対象企業名
8．訴訟等に際して顧問料及び謝礼として年間100万円以上受領している報告対象企業名
9．年間5万円以上の旅行，贈答品などの報告対象企業名

下記に本ガイドラインの作成にあたった委員の利益相反状態を開示します。

＜診療ガイドライン作成委員会参加者のCOI開示＞

氏名（所属機関）	利益相反開示項目				
	開示項目1	開示項目2	開示項目3	開示項目4	開示項目5
	開示項目6	開示項目7	開示項目8	開示項目9	
作成ワーキンググループ委員 寺島 慶太（国立成育医療センター脳神経腫瘍科）	該当なし	該当なし	該当なし	該当なし	該当なし
	大日本住友製薬，ノバルティスファーマ，アストラゼネカ	該当なし	該当なし	該当なし	
菱木 知郎（千葉大学大学院医学研究院小児外科学）	該当なし	該当なし	該当なし	該当なし	該当なし
	該当なし	該当なし	該当なし	該当なし	
宮地 充（京都府立医科大学大学院医学研究科小児科学）	該当なし	該当なし	該当なし	該当なし	該当なし
	該当なし	該当なし	該当なし	該当なし	
真田 昌（国立病院機構名古屋医療センター臨床研究センター）	該当なし	該当なし	該当なし	該当なし	該当なし
	大塚製薬	該当なし	該当なし	該当なし	
外部評価委員 小野 滋（自治医科大学小児外科学）	該当なし	該当なし	該当なし	該当なし	該当なし
	該当なし	該当なし	該当なし	該当なし	
加藤 元博（東京大学医学系研究科 生殖・発達・加齢医学専攻 小児医学講座）	該当なし	該当なし	該当なし	該当なし	該当なし
	第一三共	該当なし	該当なし	該当なし	
大賀 正一（九州大学大学院医学研究院成長発達医学）	該当なし	該当なし	該当なし	該当なし	該当なし
	該当なし	アステラス製薬，中外製薬	該当なし	該当なし	

序　文

　近年のがんの分子生物学的特性の解明により，がん細胞のもつ遺伝子異常が明らかとなり，これに基づいた数多くの抗腫瘍薬が開発されてきました。さらに異なる臓器に生じたがんでも共通の遺伝子異常を有する場合には，同じ治療薬の効果が期待できることから，臓器横断的な治療（tumor agnostic treatment）が行われています。がんゲノムプロファイリング検査の保険診療が開始され，がんゲノム情報をもとにした治療へのアクセスが可能となった事から，臓器横断的な治療の機会は拡大してきました。特に高頻度マイクロサテライト不安定性（MSI-H）を有する固形がんに対する抗PD-1抗体（2018年12月）や，NTRK融合遺伝子を有する固形がんに対するTRK阻害薬の承認（2019年6月）により，低頻度ではあってもほとんどのがん種において検出され得るこれらのがんに対する治療は大きく前進したと考えられます。

　これを背景に2019年3月に「ミスマッチ修復機能欠損固形がんに対する診断および免疫チェックポイント阻害薬を用いた診療に関する暫定的臨床提言」（第1版）が公開され，さらに時を移さずして同年10月に「成人・小児進行固形がんにおける臓器横断的ゲノム診療のガイドライン」第2版が発刊されました。この第2版では，主にミスマッチ修復機能欠損（dMMR）およびNTRK融合遺伝子を有する固形がんの，臨床的特徴，検査の対象・方法および治療についてシステマチックレビューによるエビデンスに基づいた推奨と詳細な解説が示されています。

　第2版発刊後，dMMR/MSI-H固形がんに有効と考えられる免疫チェックポイント阻害薬や，TRK阻害薬が新たに登場し，dMMR/MSI-Hを検出するための新たなコンパニオン診断薬が承認されました。また2021年8月には血液検体を用いた固形がんに対する包括的ゲノムプロファイリング検査（リキッドバイオプシー）も承認され，がんゲノム検査の機会が拡大しています。さらに免疫チェックポイント阻害薬の効果との関連が強く示唆されている腫瘍遺伝子変異量（Tumor mutation burden：TMB）に関して，2020年に米国では高いTMB（TMB-H）を有する固形がんに対するペムブロリズマブが承認され，本邦でも既に承認申請がなされるなど，新たなtumor agnostic treatmentの対象としてTMBの重要性が高まってきました。そのため今回の改訂第3版では，dMMR/MSI-H，NTRK融合遺伝子の項目では新たな文献を加えた内容の更新を行い，さらにTMB-Hの項目を新設して検査対象・方法，治療の詳細な解説を加えました。これにより検査手法や治療適応が目まぐるしく変化する臓器横断的ゲノム診療の環境下で，適切な診療を行う確かな指針となることと思われます。

　今後，複数の固形がんにおいて共通に見られるBRAF，BRCA遺伝子異常や相同組み換え修復欠損（homologous recombination deficiency：HRD）なども臓器横断的ゲノム診療の対象としての取扱いの検討が可能と思われます。一方，今回取り上げた臓器横断的なバイオマーカーの解釈と治療への応用における成人と小児の違い，あるいは臓器による違いには常に注意を向ける必要があり，更なる研究が望まれます。

　改訂第3版は日本臨床腫瘍学会，日本癌治療学会，日本小児血液・がん学会の共同で作成することができました。副委員長として議論をまとめて頂いた寺島慶太先生，西山博之先生，そして委員の先生に深謝申し上げます。また初版から本ガイドラインの作成に携わり，今回はアドバイザーとしてご尽力下さった吉野孝之先生（第2版委員長）に感謝申し上げます。

成人・小児進行固形がんにおける臓器横断的ゲノム診療のガイドライン第3版　委員長

九州大学大学院医学研究院　連携社会医学分野　馬場　英司

目　次

0. 要　約 1

Ⅰ. 本ガイドラインについて 5

1.1　背景と目的 5

1.2　臓器横断的治療，tumor-agnostic treatment 5

1.3　推奨度の決定 6

1.4　資金と利益相反 7

1.5　本ガイドラインの利用対象 7

Ⅱ. dMMR 固形がん 9

2.1　がんとミスマッチ修復機能 9

2.2　dMMR 固形がんのがん種別頻度 9

2.3　dMMR 固形がんの臨床像 10

2.3.1　dMMR 消化管がんの臨床像 11

2.3.2　dMMR 肝胆膵がんの臨床像 11

2.3.3　dMMR 婦人科がんの臨床像 13

2.3.4　dMMR 泌尿器がんの臨床像 13

2.4　dMMR 判定検査法 14

2.4.1　MSI 検査 14

2.4.2　MMR タンパク質免疫染色検査 16

2.4.3　NGS 検査 19

2.5　dMMR 固形がんに対する免疫チェックポイント阻害薬 19

③ リンチ症候群 21

> 注釈　dMMR 判定検査で dMMR と判断された患者に対する *BRAF* 遺伝子検査の有用性 22

> 注釈　Constitutional Mismatch Repair Deficiency：CMMRD 22

④ クリニカルクエスチョン（CQ） 23

CQ1　dMMR 判定検査が推奨される患者 23

CQ1-1　MMR 機能に関わらず免疫チェックポイント阻害薬が実地臨床で使用可能ながん以外の切除不能進行・再発固形がん患者に対して，免疫チェックポイント阻害薬の適応を判断するために dMMR 判定検査は勧められるか？ 23

xii

CQ1-2 MMR 機能に関わらず免疫チェックポイント阻害薬がすでに実地臨床で使用可能な切除不能固形がん患者に対し，免疫チェックポイント阻害薬の適応を判断するために dMMR 判定検査は勧められるか？ ………… 25

CQ1-3 局所治療で根治可能な固形がん患者に対し，免疫チェックポイント阻害薬の適応を判断するために dMMR 判定検査は勧められるか？ ………… 26

CQ1-4 免疫チェックポイント阻害薬がすでに使用された切除不能な固形がん患者に対し，再度免疫チェックポイント阻害薬の適応を判断するために dMMR 判定検査は勧められるか？ ………… 27

CQ1-5 すでにリンチ症候群と診断されている患者に発生した腫瘍の際，免疫チェックポイント阻害薬の適応を判断するために dMMR 判定検査は勧められるか？ ………… 27

CQ2 dMMR 判定検査法 ………… 27

CQ2-1 免疫チェックポイント阻害薬の適応を判定するための dMMR 判定検査として，MSI 検査は勧められるか？ ………… 28

CQ2-2 免疫チェックポイント阻害薬の適応を判定するための dMMR 判定検査として，IHC 検査は勧められるか？ ………… 28

CQ2-3 免疫チェックポイント阻害薬の適応を判定するための dMMR 判定検査として，NGS を用いたマイクロサテライト不安定性の判定は勧められるか？ ………… 29

5 参考資料 ………… 31

参考文献 ………… 32

III. NTRK（*neurotrophic receptor tyrosine kinase*） 39

6.1 *NTRK* とは ………… 39

6.2 *NTRK* 遺伝子異常 ………… 39

6.2.1 遺伝子バリアント，遺伝子増幅 ………… 39

6.2.2 融合遺伝子 ………… 40

6.3 *NTRK* 融合遺伝子のがん種別頻度 ………… 40

6.4 *NTRK* 融合遺伝子検査法 ………… 43

6.5 TRK 阻害薬 ………… 45

7 クリニカルクエスチョン（CQ） ………… 49

CQ3 *NTRK* 融合遺伝子検査の対象 ………… 49

CQ3-1 局所進行または転移性固形がん患者
転移・再発固形がん患者に対して *NTRK* 融合遺伝子検査は勧められるか？ ………… 50

CQ3-2 早期固形がん患者に対して *NTRK* 融合遺伝子検査は勧められるか？ ………… 51

CQ3-3 *NTRK* 融合遺伝子の検査はいつ行うべきか？ ………… 51

CQ4 *NTRK* 融合遺伝子の検査法 ………… 51

CQ4-1 TRK 阻害薬の適応を判断するために，NGS 検査は勧められるか？ ………… 52

| | CQ4-2 | *NTRK* 融合遺伝子を検出するために，FISH，RT-PCR は勧められるか？ | 53 |

CQ4-2 *NTRK* 融合遺伝子を検出するために，FISH，RT-PCR は勧められるか？ ……… 53

CQ4-3 *NTRK* 融合遺伝子を検出するために，IHC は勧められるか？ ……………… 54

CQ5 *NTRK* 融合遺伝子に対する治療 ………………………………………………… 54

CQ5-1 *NTRK* 融合遺伝子を有する切除不能・転移・再発固形がんに対して TRK 阻害薬は
勧められるか？ ……………………………………………………………………………… 54

CQ5-2 TRK 阻害薬はいつ使用すべきか？ …………………………………………… 55

参考文献 ………………………………………………………………………………………… 55

Ⅳ. TMB-H を有する固形がん 61

8.1 TMB とは ………………………………………………………………………………… 61

8.2 TMB 検査法 …………………………………………………………………………… 61

8.3 TMB-H のがん種別頻度 …………………………………………………………… 63

8.4 TMB-H 固形がんに対する抗 PD-1/PD-L1 抗体薬の効果 …………………… 66

9 クリニカルクエスチョン（CQ） ……………………………………………………… 69

CQ6 TMB 検査の対象 …………………………………………………………………… 69

CQ6-1 TMB スコアに関わらず免疫チェックポイント阻害薬が実地臨床で使用可能なが
ん以外の標準的な薬物療法を実施中，または標準的な治療が困難な固形がん患者
に対して，免疫チェックポイント阻害薬の適応を判断するために TMB 測定検査
は勧められるか？ ………………………………………………………………………… 69

CQ6-2 TMB スコアに関わらず免疫チェックポイント阻害薬がすでに実地臨床で使用可
能な切除不能固形がんに対し，免疫チェックポイント阻害薬の適応を判断するた
めに TMB 測定検査は勧められるか？ ……………………………………………… 70

CQ6-3 局所治療で根治可能な固形がん患者に対し，免疫チェックポイント阻害薬の適応
を判断するために TMB 測定検査は勧められるか？ …………………………… 70

CQ6-4 免疫チェックポイント阻害薬がすでに投与された切除不能な固形がん患者に対
し，再度免疫チェックポイント阻害薬の適応を判断するために TMB 測定検査は
勧められるか？ …………………………………………………………………………… 71

CQ7 TMB 検査法 …………………………………………………………………………… 71

CQ7-1 免疫チェックポイント阻害薬の適応を判定するための TMB 測定検査として NGS
検査は勧められるか？ …………………………………………………………………… 71

CQ8 TMB-H に対する治療 ………………………………………………………………… 72

CQ8-1 TMB-H を有する切除不能・転移・再発固形がんに対して免疫チェックポイント
阻害薬は勧められるか？ ………………………………………………………………… 72

CQ8-2 TMB-H を有する切除不能・転移・再発固形がんに対して免疫チェックポイント
阻害薬はいつ使用すべきか？ ………………………………………………………… 73

参考文献 ………………………………………………………………………………………… 73

参考資料　TMB・PD-L1・MMR の関係 ·· 75

Ⅴ. その他 ······ 79

⑩ その他の臓器横断的バイオマーカー ························· 79

　10.1 *BRAF* ·· 79

　10.2 *HER2*（*ERBB2*） ··· 83

　10.3 *FGFR* ·· 84

　10.4 *RAS* ··· 86

　10.5 *BRCA1/2* ·· 87

　10.6 *ALK* ··· 88

　参考文献 ·· 90

⑪ 成人・小児進行固形がんにおける臓器横断的ゲノム診療の費用対効果 ·········· 96

　　MSI-H 固形がんに対する免疫チェックポイント阻害薬 ··················· 96

　　NTRK 融合遺伝子陽性の固形がんに対する TRK 阻害薬 ················· 98

　　TMB-H 固形がんに対する免疫チェックポイント阻害薬 ··················· 98

　　臓器横断的抗がん剤の費用対効果の課題 ····························· 99

　参考文献 ·· 100

xv

0 要　約

　がん診療は，疾患の病理学的診断と進行度の評価，治療の益と不利益，患者の志向などから多角的に評価し行われてきた。この中で，疾患の診断にあたっては，原発巣の同定と組織型の確定は，治療方針決定の上で基幹をなす重要な診療情報であった。近年の分子生物学的進歩により，腫瘍の様々な生物学的特性が明らかにされるに従い，疾患の臓器特性を超えた臓器横断的「tumor-agnostic」な薬剤の開発承認がなされてきている。本ガイドラインは，従来の臓器特異的な治療ではなく，臓器横断的「tumor-agnostic」な治療について，臨床現場での円滑な検査・治療実践を行う目的で策定された。

　本ガイドラインは，deficient mismatch repair（dMMR）固形がんに対する免疫チェックポイント阻害薬，neurotrophic receptor tyrosine kinase（*NTRK*）融合遺伝子陽性固形がんに対する tropomyosin receptor kinase（TRK）阻害薬，tumor mutation burden high（TMB-H）に対する免疫チェックポイント阻害薬について言及する。将来さらに新規の tumor-agnostic な薬剤が臨床導入された暁には，本ガイドラインもまた時宜を得た改訂を予定する。

dMMR 固形がん

1. MMR 機能に関わらず免疫チェックポイント阻害薬が実地臨床で使用可能ながん以外の切除不能進行・再発固形がん患者に対して，免疫チェックポイント阻害薬の適応を判断するために dMMR 判定検査を強く推奨する。

2. MMR 機能に関わらず免疫チェックポイント阻害薬がすでに実地臨床で使用可能な切除不能固形がん患者に対し，免疫チェックポイント阻害薬の適応を判断するために dMMR 判定検査を考慮する。

3. 局所治療で根治可能な固形がん患者に対し，免疫チェックポイント阻害薬の適応を判断するために dMMR 判定検査を推奨しない。

4. 免疫チェックポイント阻害薬がすでに使用された切除不能な固形がん患者に対し，再度免疫チェックポイント阻害薬の適応を判断するために dMMR 判定検査を推奨しない。

5. すでにリンチ症候群と診断されている患者に発生した腫瘍の際，免疫チェックポイント阻害薬の適応を判断するために dMMR 判定検査を強く推奨する。

6. 免疫チェックポイント阻害薬の適応を判定するための dMMR 判定検査として，microsatellite instability（MSI）検査を強く推奨する。

7. 免疫チェックポイント阻害薬の適応を判定するための dMMR 判定検査として，immunohistochemistry（IHC）検査を強く推奨する。

8. 免疫チェックポイント阻害薬の適応を判定するためのマイクロサテライト不安定性判定検査として，分析学的妥当性が確立された（薬事承認等された）next-generation sequencing（NGS）検査を強く推奨する。

NTRK 融合遺伝子を有する固形がん

1. *NTRK* 融合遺伝子と相互排他的な遺伝子異常を有する固形がん患者では，*NTRK* 融合遺伝子検査を推奨しない。

2. *NTRK* 融合遺伝子が高頻度に検出されることが知られているがん種では，*ETV6-NTRK3* 融合遺伝子を検出できる検査を強く推奨する。

3. 上記 1，2 以外の全ての転移・再発固形がん患者で，TRK 阻害薬の適応を判断するために *NTRK* 融合遺伝子検査を行うことを推奨する。

4. *NTRK* 融合遺伝子が高頻度に検出されることが知られているがん種では，根治治療可能な固形がん患者に対しても，*NTRK* 融合遺伝子の検査を推奨する。

5. 上記 4 以外の全ての早期固形がん患者で，TRK 阻害薬の適応を判断するために *NTRK* 融合遺伝子検査を行うことを考慮する。

6. 標準治療開始前あるいは標準治療中から *NTRK* 融合遺伝子の検査を行うことを強く推奨する。

7. TRK 阻害薬の適応を判断するために，分析学的妥当性が確立された NGS 検査を強く推奨する。

8. *NTRK* 融合遺伝子のスクリーニング検査法として fluoresence *in situ* hybridization（FISH）を推奨しない。

9. *NTRK* 融合遺伝子のスクリーニング検査法として Reverse transcriptase polymerase chain reaction（RT-PCR）を推奨しない。

10. *NTRK* 融合遺伝子が高頻度に検出されることが知られているがん種では，FISH あるいは RT-PCR による *NTRK* 融合遺伝子（特に *ETV6-NTRK3* 融合遺伝子）検査を行ってもよい。陰性の場合は別の検査で確認することが推奨される。

11. *NTRK* 融合遺伝子のスクリーニング検査として IHC を考慮する。

12. TRK 阻害薬の適応を判断するためには IHC を推奨しない。

13. *NTRK* 融合遺伝子を有する切除不能・転移・再発固形がんに対して TRK 阻害薬の使用を強く推奨する。

14. 初回治療から TRK 阻害薬の使用を推奨する。

TMB-H を有する固形がん

1. TMB スコアに関わらず免疫チェックポイント阻害薬が実地臨床で使用可能ながん以外の標準的な薬物療法を実施中，または標準的な治療が困難な固形がん患者に対して，免疫チェックポイント阻害薬の適応を判断するために TMB 測定検査を推奨する。

2. TMB スコアに関わらず免疫チェックポイント阻害薬がすでに実地臨床で使用可能な切除不能固形がんに対し，免疫チェックポイント阻害薬の適応を判断するために TMB 測定検査を考慮する。

3. 局所治療で根治可能な固形がん患者に対し，免疫チェックポイント阻害薬の適応を判断するための TMB 測定検査は推奨しない。

4. 免疫チェックポイント阻害薬がすでに投与された切除不能な固形がん患者に対し，再度免疫チェックポイント阻害薬の適応を判断するための TMB 測定検査は推奨しない。

5. 免疫チェックポイント阻害薬の適応を判定するための TMB 測定検査として，分析学的妥当性が確立された（薬事承認等された）NGS 検査を推奨する。

6. TMB-H を有する切除不能・転移・再発固形がんに対して免疫チェックポイント阻害薬の投与を推奨する。

7. 化学療法後に増悪した進行・再発の TMB-H 固形がんに対して免疫チェックポイント阻害薬の使用を推奨する。

I 本ガイドラインについて

1.1 背景と目的

国立がん研究センターがん情報サービスによると，2018 年に新たに診断されたがん（全国がん登録）は 980,856 例，2019 年にがんで死亡した人は 376,425 人であり，死因の第 1 位である[1]。がんの治療成績向上は国民にとって非常に重要な課題である。がん薬物療法の分野では，有効な新規治療薬の登場とともに治療成績が向上し，予後が改善してきた。同時に治療前に有効性が期待できる集団を同定するバイオマーカーの開発も，がんの治療成績向上に寄与してきた。

従来がん診療は，疾患の病理学的診断と進行度の評価，治療の益と不利益，患者の志向などから多角的に評価し行われてきた。この中で，疾患の診断にあたっては，原発巣の同定と組織型の確定は，治療方針決定の上で基幹をなす重要な診療情報であった。近年の分子生物学的進歩により，腫瘍の様々な生物学的特性が明らかにされるに従い，疾患の臓器特性を超えた臓器横断的「tumor-agnostic」な薬剤の臨床開発，薬剤承認がなされてきている。このような診療の変化により，診療の現場において以下のような懸念事項が指摘されている。

①専門性の異なる多数の診療科が診断・治療に関与するため，各診療科単位あるいは各臓器がん単位で異なる診療が行われることで現場に混乱を来す可能性

②tumor-agnostic な薬剤の適応を判断するための検査に対する認知度の低さ

③多臓器にまたがって発生しうる有害事象への対応

④次世代シーケンシング（next generation sequencing：NGS）検査の臨床導入に伴う germline findings への対応や，遺伝診療・カウンセリングの体制整備

本ガイドラインは，tumor-agnostic な薬剤とバイオマーカーの開発に伴うこれらの問題点に対して，臨床現場での円滑な検査・治療実践を行う目的で策定された。

本ガイドラインでは，tumor-agnostic な薬剤選択を考慮する際に留意すべき事項を，検査のタイミング・方法，薬剤の位置付け，診療体制を含めて系統的に記載した。

さらに，近年の検査技術の進歩に伴い，NGS 法による包括的遺伝子検査や血液サンプルを用いた体細胞遺伝子検査(リキッドバイオプシー)の開発が急速に進んでいることを受けて，これら新しい検査法についても内容に含めた。

1.2 臓器横断的治療，tumor-agnostic treatment

NCI Dictionary of Cancer Terms によると，臓器横断的治療，tumor-agnostic treatment は，「A type of therapy that uses drugs or other substances to treat cancer based on the cancer's genetic and molecular features without regard to the cancer type or where the cancer started in the body」とされる[2]。

本ガイドラインはあくまでも診療や治療に対する指針であり，記載の推奨度に基づき実地臨床の場で個々の症例に応じ活用されるべきものである。本ガイドラインが活用されることにより，適切な患者に，適切な検査・治療が適切なタイミングで実施され，固形がん患者の治療成績の向上に寄与することを期待したい。

1.3 | 推奨度の決定

本ガイドラインの作成にあたり，臨床上の疑問についてクリニカルクエスチョン（CQ）を設定し，そのCQに対する回答の根拠となるエビデンスについて，ハンドサーチで文献を収集しシステマチックレビューを行った。CQの設定は『成人・小児進行固形がんにおける臓器横断的ゲノム診療のガイドライン』第3版ワーキンググループが原案を作成し取り上げるCQを決定した。

担当CQ毎に関連するキーワードを設定し，日本医学図書館協会に送付して検索式を立て，網羅的に検索を行った。検索データベースはPubMed，医中誌Web，Cochrane Libraryを用いた。各種学会報告も重要なものについてはハンドサーチにより収集し採用した。一次スクリーニング，二次スクリーニングおよびシステマチックレビューは『成人・小児進行固形がんにおける臓器横断的ゲノム診療のガイドライン』第3版ワーキンググループ内の担当者（SM/YN）が行った。各CQに対しての推奨度を決定するため，推奨に関する委員のvotingを行い，その結果をもとに，各CQに対する推奨度を設定した（**表1-1**）。推奨度は，各CQにおけるエビデンスの強さ，想定される患者が受ける利益，損失等を参考に決定され，SR（Strongly recommended），R（Recommended），ECO（Expert consensus opinion），NR（Not recommended）に区分された。診療内容（検査，治療の適応症を含む）の本邦における薬事承認や保険適用状況は，votingの際には考慮しないこととし，必要に応じて備考欄に記載した。Votingにより①SRが70%以上の場合にはSR，②①を満たさずSR＋Rが70%以上の場合にはR，③①②を満たさずSR＋R＋ECOが70%以上の場合にはECO，④①-③に関わらずNRが50%以上の場合にはNRを全体の意見とし，①-④いずれも満たさない場合は「推奨度なし」とした。

なお，各CQに対する推奨について，現時点では強いエビデンスに基づかないものも含まれる。また，今後の新たなエビデンスの蓄積により，本文の記載および推奨度が大きく変化

表1-1 推奨度と判定基準

推奨度	推奨度の判定基準	記載方法
Strongly recommended（SR）	十分なエビデンスと損失を上回る利益が存在し，強く推奨される。	強く推奨する
Recommended（R）	一定のエビデンスがあり，利益と損失のバランスを考慮して推奨される。	推奨する
Expert consensus opinion（ECO）	エビデンスや有益性情報は十分とは言えないが，一定のコンセンサスが得られている。	考慮する
Not recommended（NR）	エビデンスがなく，推奨されない。	推奨しない

する可能性がある。本ガイドラインも適宜アップデートしていく予定であるが，実臨床における薬剤使用にあたっては，最新の医学情報を確認し，適切使用に努めていただきたい。

1.4 資金と利益相反

1）資金

本ガイドライン作成に関連する資金は，日本臨床腫瘍学会，日本癌治療学会および日本小児血液・がん学会により拠出した。

2）利益相反（COI）

『成人・小児進行固形がんにおける臓器横断的診療のガイドライン』第3版作成ワーキンググループのCOIについては，日本医学会のCOI規定に準拠し，それぞれの学会において審査を行った。COIの詳細はviiiページからxページを参照されたい。

1.5 本ガイドラインの利用対象

がん診療を行う施設の医師，薬剤師，看護師，その他の医療従事者
がん患者を対象に作成したものではないが，その利用を妨げるものではない。

参考文献

1) 国立がん研究センターがん情報サービス
   https://ganjoho.jp/reg_stat/statistics/stat/summary.html
2) NCI Dictionary of Cancer Terms.
   https://www.cancer.gov/publications/dictionaries/cancer-terms/def/796871

Ⅱ dMMR 固形がん

2.1 がんとミスマッチ修復機能

　DNA 複製の際に生じる相補的ではない塩基対合（ミスマッチ）を修復する（mismatch repair：MMR）機能は，ゲノム恒常性の維持に必須の機能である。MMR 機能が低下している状態を MMR deficient（dMMR），機能が保たれている状態を MMR proficient（pMMR）と表現する。MMR の機能欠損を評価する方法として MSI 検査，MMR タンパクに対する免疫染色（immunohistochemistry：IHC），NGS による評価法がある（詳細は「2.4 dMMR 判定検査法」を参照）。MMR 機能の低下により，1 から数塩基の繰り返し配列（マイクロサテライト）の反復回数に変化が生じ，この現象をマイクロサテライト不安定性（microsatellite instability：MSI）という。MMR 機能の低下により，腫瘍抑制・細胞増殖・DNA 修復・アポトーシスなどがん化に関与する遺伝子のコーディング領域に存在する反復配列領域に変化が起こりやすくなり，これらの遺伝子異常の蓄積により腫瘍発生，増殖に関与すると考えられている[1]。マイクロサテライト不安定性が高頻度に認められる場合を MSI-High（MSI-H），低頻度に認められるまたは認められない場合を MSI-Low/microsatellite stable（MSI-L/MSS）と呼ぶ。

　一般に，MMR 機能の低下が認められるがんの要因は，がん種によって異なる。散発性の dMMR 固形がん（sporadic dMMR tumor）では，主に *MLH1* 遺伝子のプロモーター領域の後天的な高メチル化[2]が原因となることが多い[1]。他には，MMR 遺伝子の塩基配列の変化やプロモーター領域の異常メチル化による発現低下などが知られている[1]。一方，生殖細胞系列（germline）における *MLH1*，*MSH2*，*MSH6*，*PMS2* 遺伝子の病的バリアントや，*MSH2* 遺伝子の上流に隣接する *EPCAM* 遺伝子の欠失[3-5]が片アリルに認められる場合をリンチ症候群と呼び，この遺伝子異常に起因して発生する腫瘍をリンチ症候群関連腫瘍（Lynch-associated tumor）（「3. リンチ症候群」参照[6,7]）と呼ぶ。まれな疾患としていずれかの MMR 遺伝子の両アレルに生殖細胞系列の病的バリアントを認める先天性ミスマッチ修復欠損（constitutional mismatch repair deficiency：CMMRD）症候群も報告されており，小児期より大腸がんや小腸がん，急性白血病，脳腫瘍（髄芽腫や高悪性度グリオーマ）などを発症することが知られている[8]。消化器がん以外の合併，特に脳腫瘍の発症頻度が高く，髄芽腫や高悪性度グリオーマを生じる Turcot 症候群として知られている。

2.2 dMMR 固形がんのがん種別頻度

　dMMR 固形がんは様々な臓器に認められ，その頻度は，民族や集団，がん種，病期，遺伝性か散発性かにより大きく異なる。MSI 検査または IHC 検査（検査法については「2.4 dMMR 判定検査法」参照）による dMMR 固形がんの頻度は，対象集団や検査法の違いも含

Ⅱ　dMMR 固形がん　　9

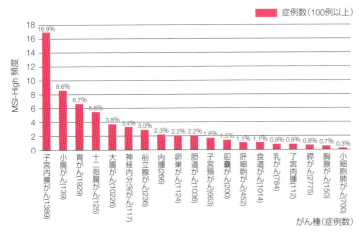
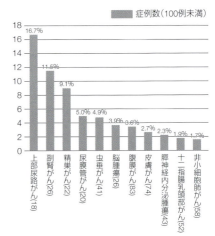

図 2-1　本邦における MSI 検査による MSI-H 固形がん種別頻度[9]を改変

め報告によってばらつきが大きい。本邦で 2018 年 12 月から 2019 年 11 月に実施された切除不能・再発固形がんの MSI 検査 26,469 例の解析結果が報告された（**図 2-1**）。全体での MSI-H の頻度は 3.72％であった。100 例以上解析できたがん種における，MSI-H 頻度は高い順に子宮内膜がん 16.85％，小腸がん 8.63％，胃がん 6.74％，十二指腸がん 5.60％，大腸がん 3.78％であった[9]。

　また，NGS 法を用いた（検査法については「2.4 dMMR 判定検査法」参照）臓器横断的な dMMR 固形がんの頻度について報告が複数ある。32 種類の固形がん，12,019 例を対象とした頻度が高かった 11 のがん種の合計で，MSI-H は Stage Ⅰ-Ⅲで約 10％，Stage Ⅳで約 5％に認められている（**図 2-2**）[10]。また，メモリアルスローンケタリングがんセンター（MSKCC）で腫瘍部と正常部の DNA を MSK-IMPACT を用いた NGS 法でシーケンスを行っており，dMMR の判定を MSIsensor という，腫瘍部と正常部ペアで比較して検出された不安定なマイクロサテライト領域の割合を cumulative score として報告するコンピュータによる解析アルゴリズムを用いて行っている。このアルゴリズムでは MSIsensor score 10 点以上が MSI-H，3 点以上 10 点未満が indeterminate（MSI-I），3 点未満を MSS としている。50 種以上の固形がん，15,045 例を対象とした解析では，MSI-H，MSI-I とリンチ症候群関連腫瘍の頻度が**表 2-1**の通り報告されている[11]。

2.3　dMMR 固形がんの臨床像

　18 種類の dMMR 固形がん（5,930 のがんエクソーム）での検討では，マイクロサテライトの状態と予後との関連性は低かったと報告されている[12]。その他にも様々ながんにおいて dMMR 固形がんでの予後解析は行われているが，予後との関連性は未だ明確になっていない。

　以下に dMMR 固形がんの臨床像を各がん種別に記載する。

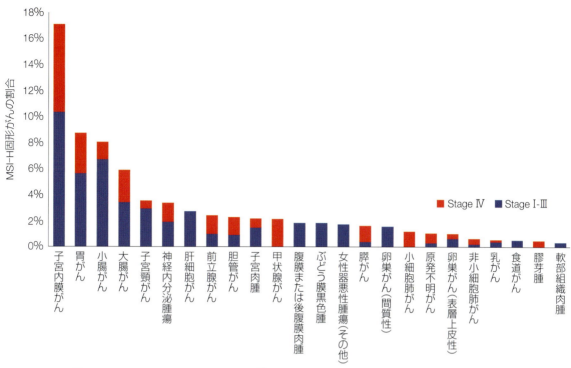

図 2-2　NGS検査によるMSI-H固形がん種別頻度[10]

2.3.1　dMMR消化管がんの臨床像（表 2-2）

　大腸がん全体におけるdMMRの頻度は欧米では13%[13]，本邦では6-7%[14,15]であるものの，Stage Ⅳではその頻度は低く，本邦では1.9-3.7%とされている[16,17]。dMMR大腸がんの中でリンチ症候群が約20-30%，散発性が約70-80%を占め，ともにpMMR大腸がんに比べて右側結腸に好発し，低分化腺癌の割合が高い。予後との関連については，Stage Ⅱでは予後良好，治癒切除不能例では予後不良と報告されている。また，dMMR大腸がんの35-43%に *BRAF* V600E遺伝子変異を認めるが[18]，リンチ症候群関連大腸がんはdMMRを示しても，*BRAF* V600Eを認めることはまれである[2]。（表 2-2，詳細は「大腸癌治療ガイドライン2019年版（大腸癌研究会）」「遺伝性大腸癌診療ガイドライン2020年版（大腸癌研究会）」「大腸がん診療における遺伝子関連検査等のガイダンス第4版」を参照）。

　胃がん全体におけるdMMRの頻度は欧米では約20-25%，アジア諸国では約8-19%と高い[19]。高齢女性に多く，遠位部の腸型腺癌が多く，リンパ節転移や *TP53* 変異はまれとされている[20]。MSI-H胃がんではMSI-L/MSS胃がんと比較し予後良好であることが報告されている（HR 0.76）[21]。

　小腸がん全体におけるdMMRの頻度は5-45%と報告されており，比較的高頻度である[22]。食道がんについては報告が少なく，頻度や予後について定まった見解は得られていない。

2.3.2　dMMR肝胆膵がんの臨床像（表 2-3）

　肝胆膵がんでは，dMMRを呈する頻度が少なく，まとまった報告も限られている。肝細胞

表 2-1　がん種別 MSI-H，リンチ症候群頻度[11)]

がん種	N	MSI-H/I*（頻度）	MSI-H/I 症例中のリンチ症候群 （MSI-H/I での頻度，全体からの頻度）
総数	15,045	1,025（6.8%）	66（6.4%，0.4%）
大腸がん	826	137（16.5%）	26（19.0%，3.1%）
子宮内膜がん	525	119（22.7%）	7（5.9%，1.3%）
小腸がん	57	17（29.8%）	2（11.8%，3.5%）
胃がん	211	13（6.1%）	2（15.4%，0.9%）
食道がん	205	16（7.8%）	0（0%，0%）
尿路上皮がん	551	32（5.8%）	12（37.5%，2.2%）
副腎がん	44	19（43.1%）	2（10.5%，4.5%）
前立腺がん	1,048	54（5.1%）	3（5.6%，0.29%）
胚細胞腫瘍	368	33（9.0%）	1（3.0%，0.27%）
軟部組織肉腫	785	45（5.7%）	2（4.4%，0.25%）
膵がん	824	34（4.1%）	5（14.7%，0.61%）
中皮腫	165	6（3.6%）	1（16.7%，0.61%）
中枢神経腫瘍	923	30（3.3%）	1（3.3%，0.11%）
卵巣がん	343	46（13.4%）	0（0%，0%）
肺がん	1,952	94（4.8%）	0（0%，0%）
腎がん	458	11（2.4%）	0（0%，0%）
乳がん	2,371	150（6.3%）	0（0%，0%）
悪性黒色腫	573	25（4.3%）	1（4.0%，0.17%）
その他**	2,816	144（5.1%）	0（0%，0%）

*：MSI-I：MSI-Indeterminate
**：乳頭がん，肛門管がん，虫垂がん，骨肉腫，末梢神経鞘腫瘍，絨毛がん，子宮頸がん，神経内分泌腫瘍，神経芽
　　腫，胸腺腫瘍，褐色細胞腫，腟がん，ウィルムス腫瘍，原発不明がん，頭頸部がん，肝細胞がん，胆管がん，軟骨
　　肉腫，ユーイング肉腫，非ホジキンリンパ腫，白血病，網膜芽細胞腫を含む。

表 2-2　dMMR 大腸がんの臨床的特徴

	dMMR 大腸がん に占める割合	*BRAF* 変異	臨床的特徴
リンチ症候群	20-30%	ほとんど検出されない	若年発症・多発性（同時・異時性）・右側結腸に好発・低分化腺癌の頻度が高い
散発性	70-80%	高頻度に認める	高齢女性・右側結腸に好発・低分化腺癌の頻度が高い

表 2-3　dMMR 肝胆膵がんの臨床的特徴

	臨床的特徴
リンチ症候群	胆道がん：予後は良好 膵がん：予後は良好
散発性	肝細胞がん：悪性度が高い 胆道がん：若年発症 膵がん：予後は良好

表 2-4　dMMR 子宮内膜がんの臨床的特徴

	臨床的特徴
リンチ症候群	女性では大腸がんの次に高頻度に発生 若年発症・子宮峡部発生が知られている 類内膜癌が多い（明細胞癌/漿液性癌/癌肉腫の発生もある） *MSH6* 病的バリアント保持者では，他のリンチ症候群関連 腫瘍と比較的して子宮内膜がん発生リスクが高い
散発性	低悪性度（高分化度）の類内膜癌の割合が高い[42,43]

がんでは，dMMR の頻度が 1-3％で，進行がんのみならず，早期がんでも認められる[4]。また，悪性度が高く，再発までの期間が短いことが報告されている[23]。胆道がんでは散発性の MSI-H の頻度が 1.3％という報告がある[25]。若年での発症が多く[24]，早期がんや進行がんともに認められる[25]。また，MSS と比べて，予後良好との報告[26]や，予後は変わらないとの報告[25]があり，一定の見解が得られていない。

膵がんにおける dMMR を呈する頻度は本邦から 13％[27]との報告があるが，近年の海外からの報告では 0.8-1.3％[28-31]あり，1％前後と考えられている。予後は良好との報告が散見され[29,30]，免疫チェックポイント阻害薬が奏効しやすい[30]と言われている。また，術後補助療法の施行群と未施行群で再発までの期間が変わらなかったという報告[32]や，低分化で，*KRAS* 野生型が高率であったという報告[27]もあるが，いまだその臨床的意義は明らかではない。

2.3.3　dMMR 婦人科がんの臨床像（表 2-4）

dMMR を示す婦人科がんの種類としては，子宮内膜がんが最も多い。一般集団の子宮内膜がんの生涯リスクは 3％であるがリンチ症候群では 27-71％であり[33]，子宮内膜がんにおいては dMMR の頻度は 20-30％，そのうちリンチ症候群（MMR 遺伝子の生殖細胞系列病的バリアント保持者）が約 5-20％，散発性が約 80-90％である[34,35]。リンチ症候群関連婦人科がんと散発性婦人科がんの臨床的特徴を比較すると**表 2-4** のようになる。173 例の子宮内膜がんにおける解析では，pMMR と比較し，dMMR では無増悪生存期間（progression-free survival：PFS）および全生存期間（overall survival：OS）が不良である傾向が認められたものの（PFS：p＝0.057，OS：p＝0.076），リンチ症候群においては予後に関連性はなかった（PFS：p＝0.357，OS：p＝0.141）と報告されている[36]。

卵巣がんについては，一般集団における生涯発症リスクが 1.5％であるのに対して，リンチ症候群では 3-20％である[33,37,38]。本邦では，上皮性卵巣がん約 2.6％に MMR 遺伝子の病的バリアントを認めたと報告されている[39]。

なおリンチ症候群関連腫瘍の発生リスクは遺伝子により異なり，*MSH6* 病的バリアント保持者では比較的子宮内膜がん発生リスクが高いことが知られている[40,41]。

2.3.4　dMMR 泌尿器がんの臨床像（表 2-5）

泌尿器科において dMMR を示すがん種として，腎盂・尿管がんが最も多く，前立腺がん・胚細胞腫瘍・膀胱がんにおいても認められる。腎盂・尿管がんにおける dMMR の頻度は 5-

表 2-5　dMMR 泌尿器科がんの臨床的特徴

	臨床的特徴
リンチ症候群	腎盂・尿管がんは発症年齢が若く，女性の発症リスクは男性と同等レベルまで増加する。前立腺がん，胚細胞腫瘍も関連する。
散発性	不明

11.3％と報告されている[44]。dMMR を示す腎盂・尿管がんは，組織学的には inverted growth pattern や low stage という特徴が認められるが，腫瘍発生部位は特徴がない[45]。リンチ症候群関連腎盂・尿管がんは，一般的な腎盂・尿管がんに比し，発症年齢が若く，女性の発症リスクが男性と同等レベルにまで増加する[46]。また，リンチ症候群関連腎盂・尿管がんの半数以上は MSS/MSI-L であるという報告もある[46]。リンチ症候群関連腫瘍としては，腎盂・尿管がん以外には前立腺がん，胚細胞腫瘍，膀胱がんが関連する可能性が報告されている[44]。散発性 dMMR 泌尿器科がんの臨床的特徴は不明である。

2.4 dMMR 判定検査法

　dMMR 判定検査には下記に示す MSI 検査，MMR タンパク質（MLH1，MSH2，MSH6，PMS2）に対する免疫染色（IHC）検査，NGS 検査がある。

2.4.1　MSI 検査

　MSI 検査は，正常組織および腫瘍組織より得られた DNA からマイクロサテライト領域を PCR 法で増幅し，マイクロサテライト配列の反復回数を測定・比較判定する方法である。実際には，反復回数の違いを PCR 産物の長さの差として，電気泳動にて比較する。古典的なベセスダパネルを用いた方法では，5 つのマイクロサテライトマーカー（BAT25，BAT26，D5S346，D2S123，D17S250）の長さを腫瘍組織と正常組織で比較し，異なる長さの PCR 産物が検出された場合を MSI 陽性として，MSI 陽性が 2 つ以上のマーカーで認められる場合を MSI-H，1 つのマーカーでのみ認められる場合を MSI-L（low-frequency MSI），いずれのマーカーにおいても認められない場合を MSS（Microsatellite stable）と判定する。MSI-H では腫瘍における MMR 機能が欠損（dMMR），MSI-L/MSS では保持されている（pMMR）と判断する。ベセスダパネルには，1 塩基の繰り返しマーカーと比較し MSI の感度が劣ると報告されている 2 塩基の繰り返しマーカーが 3 つ含まれている。近年，dMMR 判定検査には，1 塩基の繰り返しマーカーのみで構成されるパネル（ペンタプレックスや MSI 検査キット（FALCO））が使用されることが多い。なお，多くのパネルに使用されている 1 塩基の繰り返しマーカーである BAT25，BAT26 は MSI の感度・特異度がともに高い[47]。

　2018 年 9 月，本邦において「MSI 検査キット（FALCO）」が薬事承認された。2021 年 6 月現在，「ペムブロリズマブの固形がん患者への適応を判断するための補助」「ニボルマブの結腸・直腸癌患者への適応を判定するための補助」「大腸癌におけるリンチ症候群の診断の補助」「大腸癌における化学療法の選択の補助」を使用目的として承認されている。この検査キットには，1 塩基の繰り返しマーカーのみで構成されるパネル（BAT25，BAT26，NR21，

表 2-6 MSI 検査で使用されるマイクロサテライトマーカー

MSI 検査（FALCO）	
マーカー名	配列構造
BAT25	1 塩基繰り返し
BAT26	1 塩基繰り返し
NR21	1 塩基繰り返し
NR24	1 塩基繰り返し
MONO27	1 塩基繰り返し

表 2-7 健常日本人とアメリカ人の正常組織における各マーカーの QMVR[48]

	NR21	BAT26	BAT25	NR24	MONO27
日本人	98.4-104.4	111.4-117.4	121.0-127.0	129.5-135.5	149.9-155.9
Patil DT et al.[48]	98-104	112-118	121-127	129-135	149-155

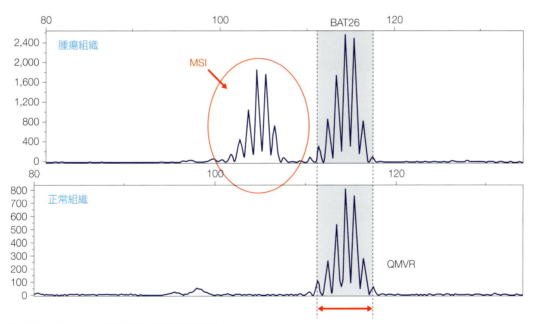

図 2-3 マーカー（BAT26）の泳動波形例
網掛け部が BAT26 の QMVR である。上段の腫瘍組織では，正常組織には見られない QMVR の外にも波形を認め，MSI 陽性と判断される。

NR24，MONO27）（表 2-6）が用いられている。これらのマーカーは，準単型性を示し，それぞれのマーカーの Quasi-Monomorphic Variation Range（QMVR）は人種によらず一定の範囲になる（表 2-7）[48]。MSI 検査キット（FALCO）では正常組織のマイクロサテライトマーカーの PCR 産物の長さが各マーカーで平均値±3 塩基の範囲（QMVR）に収まることから，その QMVR から外れるマーカーを MSI 陽性とすれば（図 2-3），腫瘍組織のみで MSI を評

II dMMR 固形がん 15

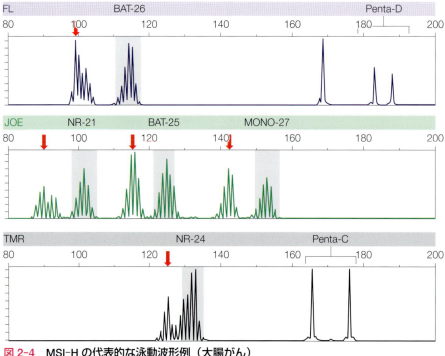

図 2-4　MSI-H の代表的な泳動波形例（大腸がん）
陽性と判断されるピーク（↓）

価することが可能である。実際，多くの固形がんにおいて腫瘍組織のみを用いた MSI-H の判定と正常組織とのペアで測定した MSI-H の判定とが一致した[49]。

　大腸がんでは，MSI 検査と MMR タンパク質に対する免疫染色（IHC）検査（「2.4.2 MMR タンパク質免疫染色検査」参照）による dMMR 判定の一致率は 90% 以上であることが報告されているが，大腸がん以外の固形がんにはやや一致率が低いものもある。その背景には，臓器により繰り返し配列異常の程度に違いがある可能性が指摘されており，大腸がんでは平均して 6 塩基の違いが生じるのに対し（**図 2-4**），他の固形がんでは 3 塩基の移動しかみられない（**図 2-5**）[50]。MSI 検査キット（FALCO）では各マーカーで平均値 ±3 塩基の QMVR 幅を基準としマーカー評価を行うため，移動が少ない場合には MSI 検査が偽陰性となる。脳腫瘍・尿管がん・子宮内膜がん・卵巣がん・胆管がん・乳がんではそのような偽陰性症例が報告されており，腫瘍組織のみを用いた MSI 検査を実施する際には，判定結果の解釈に注意が必要である。

2.4.2　MMR タンパク質免疫染色検査

　腫瘍組織における MMR タンパク質（MLH1, MSH2, MSH6, PMS2）の発現を免疫染色（IHC）検査によって調べ，dMMR かどうかを評価する。評価には内部陽性コントロール（例：大腸がんの場合には，非腫瘍組織における大腸粘膜の腺底部やリンパ濾胞の胚中心）を用いて染色の適切性を確認する。4 種類のタンパク質全てが発現している場合は pMMR，1 つ以上のタンパク質発現が消失している場合を dMMR と判定する。MSI 検査ではなく IHC

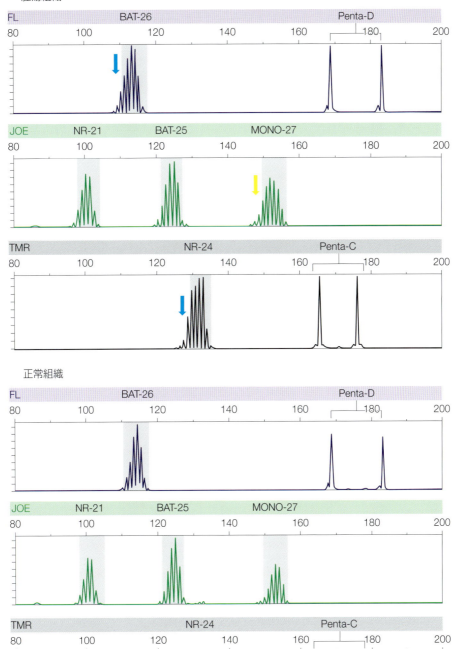

図 2-5 注意が必要な MSI-H 泳動波形例（子宮内膜がん）
　腫瘍部の検査で判定に注意を要するピーク（⬇）が 2 マーカーあったため，正常部との比較による確認再検を行ったところ，判定に注意を要するピーク（⬇）は共に陽性であることが確認され，追加で 1 マーカーが陽性（⬇）となり，判定は MSI-H となった．

検査を用いる利点として，発現消失を認めるタンパク質のパターンからdMMRの責任遺伝子の推定が可能である点が挙げられる。例えば，MSH6はMSH2としかヘテロダイマーを形成できないため，*MSH2*遺伝子に異常があるとMSH6がタンパクとして安定せず分解されるため同時に免疫染色での発現消失を認める。逆に，MSH2はMSH6以外にもMSH3ともヘテロダイマーを形成することが可能であり，*MSH6*遺伝子に異常があってもMSH2の発現は保たれる。MLH1・PMS2についても同様に，PMS2はMLH1としかヘテロダイマーを形成できないが，MLH1はPMS2以外のタンパクともヘテロダイマーを形成できる（図2-6）。多くは表2-8のような染色パターンを示す。このパターンを示さない場合には染色の妥当性を検討し，判断に迷う場合にはMSI検査等を追加することで総合的な判定を試みる。

また，MLH1，MSH2，MSH6，PMS2の4つのタンパクを評価することが推奨されるが，検体量の問題等で難しいときにはMSH6とPMS2のみでスクリーニングすることも許容される[51]。

2021年12月，本邦において癌組織中に発現するMMRタンパク（MLH1，MSH2，MSH6，PMS2）をそれぞれ検出するIHC用の検査キット4製品からなる「ミスマッチ修復（MMR）機能欠損検出キット」が体外診断薬として承認された。

表2-8 MMRタンパク質に対する免疫染色パターンと疑われる責任遺伝子

		免疫染色			
		MLH1	MSH2	PMS2	MSH6
遺伝子	*MLH1*	−	＋	−	＋
	MSH2	＋	−	＋	−
	PMS2	＋	＋	−	＋
	MSH6	＋	＋	＋	−

＊：表に当てはまらない染色結果が得られた場合は，例外的な患者である可能性を考慮する前に染色の妥当性を確認する。

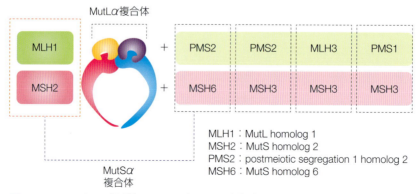

図2-6 MMRタンパク質　ヘテロダイマー形成パートナー

2.4.3 NGS 検査

　NGS 技術を用いた MMR 機能欠損の評価には，マイクロサテライト領域のみをターゲットとした方法と，包括的がんゲノムプロファイリングの一環として MMR 機能の評価も行う方法に大別される。前者の例として，MSIplus パネルが報告されている[52]。本法は，計 18 個のマイクロサテライトマーカー領域の長さを NGS 技術によって測定するもので，33％以上のマーカーで不安定性を認める場合に MSI-H と診断される。

　後者の例としては，FoundationOne® CDx や OncoGuide™ NCC オンコパネルがある。FoundationOne® CDx では，約 2,000 のマイクロサテライト領域における繰返し配列の長さを解析して MSI スコアを算出し，ポリメラーゼ連鎖反応（PCR）法に対する同等性試験にて決定された判定基準に基づき，MSI-High（MSI-H），MS-Equivocal，Microsatellite-Stable（MSS）を判定する。MSI-H と MSS の中間ステータスにあたる MS-Equivocal と判定された場合，承認された他の体外診断用医薬品等による確認検査を行う[53]。OncoGuide™ NCC オンコパネルでは 576 カ所のモノリピートから 5 塩基までのマイクロサテライトを対象に腫瘍組織と血液細胞（正常）との比較により MSI スコアを算出し，MSI スコアが 30 以上の場合に MSI-H と判断する（2021 年 8 月時点ではコンパニオン診断としては承認されていない）。その他，MSK-IMPACT を用いた MSIsensor アルゴリズム[54]や全エクソーム塩基配列解析（whole exome sequencing：WES）を用いた MOSAIC アルゴリズム[55]・MANTIS アルゴリズム[56]等，検査するプロファイリング領域やそこに含まれるマイクロサテライトマーカーに対する過去のデータベース，アルゴリズムにより MSI-H の判定方法は異なる。

　2021 年 6 月，本邦において FoundationOne® CDx が高頻度マイクロサテライト不安定性（MSI-High）を有するがんに対するニボルマブおよびペムブロリズマブのコンパニオン診断として承認された。

2.5 ┃ dMMR 固形がんに対する免疫チェックポイント阻害薬

　PD-1（CD279）分子は，CD28 ファミリーに属する免疫抑制性補助シグナル受容体であり，1992 年に本庶らによってクローニングされた[57]。その後，PD-1 は活性化した T 細胞・B 細胞および骨髄系細胞に発現し，そのリガンドとの結合により抗原特異的な T 細胞活性を抑制することから，末梢性免疫寛容に重要な役割を担う分子であることが明らかにされた。PD-1 のリガンドには，PD-L1（CD274，B7-H1）と PD-L2（CD273，B7-DC）がある。PD-1/PD-L1 経路は T 細胞免疫監視から逃れるためにがん細胞が利用する主な免疫制御機構で，様々な固形がんにおいて確認されている。その他の免疫チェックポイントとして細胞傷害性 T リンパ球抗原 4 CTLA-4（cytotoxic T-lymphocyte-associated protein 4；CD152）が知られている。主にリンパ組織において細胞傷害性 T 細胞上の CTLA-4 が抗原提示細胞上の CD80/86 に結合すると T 細胞の活性化が阻害される。

　免疫チェックポイントを阻害するモノクローナル抗体薬として，抗 PD-1 抗体薬（ペムブロリズマブ，ニボルマブ）および抗 PD-L1 抗体薬（アテゾリズマブ，アベルマブ，デュルバルマブ），抗 CTLA-4 抗体薬（イピリムマブ）が実地臨床に導入されている。腫瘍微小環境中の腫瘍特異的細胞傷害性 T リンパ球（cytotoxic T lymphocyte：CTL）を活性化させ，抗

Ⅱ　dMMR 固形がん　　19

腫瘍免疫を再活性化することで抗腫瘍効果を発揮する薬剤である。従来の抗悪性腫瘍薬とは異なる作用機序で抗腫瘍効果を発揮する。

dMMR固形がんではMMR機能欠損により高頻度にゲノムに変化が生じる。そのことでアミノ酸に変化を伴うタンパク質が合成され，その一部が抗原ペプチドとして主要組織適合遺伝子複合体（major histocompatibility complex：MHC）により提示される。その新たな抗原を neoantigen と呼び，それらは非自己として認識されるために腫瘍組織における Th1/CTL が活性化される。一方で negative feedback として PD-1 等の免疫チェックポイント分子の発現が誘導される。このように，dMMR 固形がんでは免疫系が腫瘍制御機構に重要な役割を担っており，免疫チェックポイント阻害薬の効果が期待できる。

大腸がんを含む全固形がんを対象にペムブロリズマブの有効性・安全性を探索する第Ⅱ相試験である KEYNOTE-016 試験において，12 種類の dMMR 固形がん，86 症例の結果が報告されている[10]。奏効割合（Objective Response Rate：ORR）53％（95％CI 42-64％），完全奏効（Complete Response：CR）21％と良好な結果であった（図 2-7）。無増悪生存期間（progression-free survival：PFS），全生存期間（overall survival：OS）ともに中央値に達しておらず，がん種による明らかな差は認めなかった[10]。

さらに，dMMR 大腸がん患者を対象としたペムブロリズマブ療法の第Ⅱ相試験である KEYNOTE-164 試験が，フッ化ピリミジン系薬，オキサリプラチンおよびイリノテカンによる化学療法歴を有する患者（コホート A）と 1 レジメン以上の化学療法歴を有する患者（コホート B）の 2 つのコホートで行われた。コホート A 61 名の治療成績は ORR 28％（95％CI 17-41），PFS 中央値 2.3 か月（95％CI 2.1-8.1），OS 中央値未到達と良好であった。また，奏効期間は中央値未到達で，奏効が得られた患者の 82％で 6 か月以上の奏効期間が得られてい

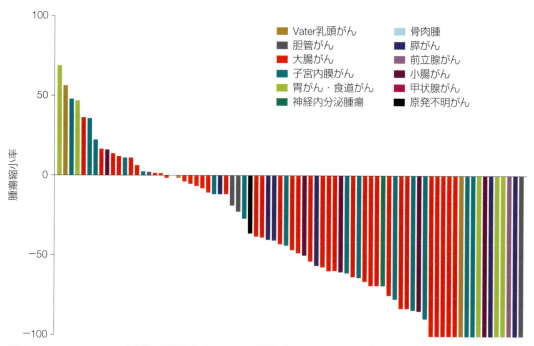

図 2-7　KEYNOTE-016 試験に登録された dMMR 固形がんにおけるペムブロリズマブの効果[10]

た[58]。同様に，標準治療不応・不耐の dMMR 進行固形がんを対象としたペムブロリズマブ療法の第 II 相試験 KEYNOTE-158 試験では，94 例での治療成績として，ORR 37%（95%CI 28-48），PFS 中央値 5.4 か月（95%CI 3.7-10.0），OS 中央値 13.4 か月（95%CI 10.0-未到達）と良好な結果であり，がん種を問わず効果が示された。また，奏効期間は中央値未到達，奏効が得られた患者の 51% で 6 か月以上の奏効期間が得られ，効果が持続することも合わせて示された[59]。有害事象については従来の抗悪性腫瘍薬と異なり，関節炎・悪心・倦怠感・掻痒症等の有害事象だけでなく，自己免疫疾患様の特有の免疫関連有害事象（immune-related adverse events：irAE）が出現することがあり，全身管理に注意する必要がある（詳細は「がん免疫療法ガイドライン」参照）。

3 リンチ症候群

リンチ症候群は，MMR 遺伝子の生殖細胞系列における病的バリアントを原因とする常染色体優性遺伝性疾患である。欧米の報告では全大腸がんの 2-4% であり，患者および家系内に大腸がん・子宮内膜がんをはじめ，様々な悪性腫瘍が発生する（**表 3-1**）。しかしながら様々ながん予防が可能であることからもその診断は臨床的に重要である。

リンチ症候群では MMR 遺伝子の片方のアレルに生殖細胞系列の病的バリアントを有している。後天的にもう片方の野生型アレルに機能喪失型の変化（プロモーター領域のメチル化を含む）が加わることで MMR 機能が損なわれ，がん化に関与すると考えられる[1]。

本邦では，臨床情報にてアムステルダム基準 II（**別添 表1**）または改訂ベセスダガイドライン（**別添 表2**）を満たした場合，二次スクリーニングとして MSI 検査や IHC 検査が推奨されている（**別添 図1**）[60]。欧米ではリンチ症候群を疑う所見を考慮せずに全て（あるいは 70 歳以下）の大腸がんや子宮内膜がんに対して MSI 検査や IHC 検査を実施する，ユニバーサル・スクリーニングが提唱されている[61,62]。

MSI 検査，IHC 検査によりリンチ症候群が疑われた場合，確定診断として MMR 遺伝子の遺伝学的検査を考慮する。遺伝学的検査を実施する場合には，検査の対象者（患者・血縁者）

表 3-1　リンチ症候群における関連腫瘍の累積発生率[60]

（「遺伝性大腸癌診療ガイドライン 2020 年版」より一部改変*）

種類	累積発生率
大腸がん	54-74%（男性），30-52%（女性）
子宮内膜がん	28-60%
胃がん	5.8-13%
卵巣がん	6.1-13.5%
小腸がん	2.5-4.3%
胆道がん	1.4-2.0%
膵がん	0.4-3.7%
腎盂・尿管がん	3.2-8.4%
脳腫瘍	2.1-3.7%
皮脂腺腫瘍	1-9%*

II　dMMR 固形がん　21

を適切に選別し，遺伝学的検査の前後に遺伝カウンセリングを行うことが推奨される。現在の遺伝学的検査では検出できないような遺伝子変化がある場合，リンチ症候群と確定できない症例もあり，結果の解釈は慎重に行わなければならない。リンチ症候群と診断された場合，遺伝カウンセリングを通して血縁者も含めたがん予防に努める。

備考；リンチ症候群ならびに遺伝性腫瘍に関する情報については，以下を参照のこと。
「大腸がん診療における遺伝子関連検査等のガイダンス第4版」日本臨床腫瘍学会 編
「遺伝性大腸癌診療ガイドライン 2020 年版」大腸癌研究会 編
「家族性非ポリポーシス大腸癌におけるマイクロサテライト不安定性検査の実施についての見解と要望（2007 年 7 月 5 日）」日本遺伝性腫瘍学会（旧　日本家族性腫瘍学会）(http://jsht.umin.jp/project/data/download/lynch_msi.pdf)
「遺伝性腫瘍 e-Learning」ePrecision Medicine Japan
(https://www.e-precisionmedicine.com/familial-tumors)

注釈 dMMR 判定検査で dMMR と判断された患者に対する *BRAF* 遺伝子検査の有用性

　散発性大腸がんで dMMR を示す主な原因は，*MLH1* 遺伝子のプロモーター領域の後天的な異常メチル化であり，このようながんでは免疫染色で MLH1/PMS2 タンパク質の発現消失を認める。また，MSI-H を示す大腸がんの 35-43％に *BRAF* V600E を認めるが[18]，リンチ症候群の大腸がんでは MSI-H を示しても，*BRAF* V600E はほとんど認めない[12]。したがって，大腸がん診療では dMMR 判定検査で MSI-H または MLH1/PMS2 発現消失を示した場合，*BRAF* V600E の有無を確認することは，リンチ症候群か散発性大腸がんかの鑑別の一助となる[63]。ただし，*PMS2* 遺伝子が原因のリンチ症候群においては，発症した大腸がんの一部に *BRAF* V600E を認めることが報告されており注意が必要である。また，大腸がん以外の固形がんでは *BRAF* V600E による鑑別の有用性は報告されていない。

注釈 Constitutional Mismatch Repair Deficiency：CMMRD

　MMR 遺伝子の両アレルに先天的に病的バリアントを認める（homozygous または compound heterozygous）先天性ミスマッチ修復欠損（Constitutional mismatch repair deficiency：CMMRD）症候群は，小児がん素因（childhood cancer predisposition）となる。小児・思春期に，主として造血器・中枢神経・大腸の悪性腫瘍が発生する。神経線維腫症 1 型（NF1）と類似した皮膚所見を呈することが多く鑑別を要する[64]。1959 年に Turcot らが，家族性大腸ポリポーシスに脳腫瘍を合併した兄弟を報告したことから，大腸腫瘍と脳腫瘍を合併する症例を Turcot 症候群と呼び，CMMRD の中には Turcot 症候群と診断されているケースもあると推測される。1999 年に，初めて分子遺伝学的に CMMRD が証明され，さらにそれらの患者の腫瘍の中に MSI-H を示す hypermutant が多く認められ，圧倒的に多くの neoantigen が発現していることが判明した。そして抗 PD-1/PD-L1 抗体薬が有効なことが近年報告されている[65,66]。

4 クリニカルクエスチョン（CQ）

CQ1 | dMMR 判定検査が推奨される患者

PubMed で"MSI or microsatellite instability or MMR or mismatch repair"，"neoplasm"，"tested or diagnos* or detect*"のキーワードで検索した。Cochrane Library も同等のキーワードで検索した。検索期間は1980年1月〜2021年1月とし，PubMed から985編，Cochrane Library から57編が抽出され，それ以外にハンドサーチで2編が追加された。一次スクリーニングで380編の論文が抽出され，二次スクリーニングで347編が抽出され，これらを対象に定性的システマチックレビューを行った。

CQ1-1 MMR 機能に関わらず免疫チェックポイント阻害薬が実地臨床で使用可能ながん以外の切除不能進行・再発固形がん患者に対して，免疫チェックポイント阻害薬の適応を判断するために dMMR 判定検査は勧められるか？

MMR 機能に関わらず免疫チェックポイント阻害薬が実地臨床で使用可能ながん以外の切除不能進行・再発固形がん患者に対して，免疫チェックポイント阻害薬の適応を判断するために dMMR 判定検査を強く推奨する。

推奨度 Strongly recommended ［SR：19，R：1，ECO：0，NR：0］

米国食品医薬局（FDA）は，ペムブロリズマブの5つの臨床試験（KEYNOTE-016 試験，KEYNOTE-164 試験（コホート A），KEYNOTE-012 試験，KEYNOTE-028 試験，KEYNOTE-158 試験）のうち，化学療法後に増悪した進行・再発の dMMR 固形がん患者149名の統合解析結果をもって，2017年5月23日に大腸がんを含む標準治療抵抗性もしくは標準治療のない dMMR 固形がんに対してペムブロリズマブを承認した。本邦では，アップデートされた KEYNOTE-164 試験（コホート A），KEYNOTE-158 試験の結果（**表 4-1**）をもとに，2018年12月21日に承認された。

また，既治療 dMMR 大腸がんを対象としたニボルマブ単剤療法またはニボルマブ＋抗CTLA-4 抗体薬イピリムマブ併用療法の試験（CheckMate-142 試験）では，ORR はそれぞれ31％，55％，PFS 中央値はそれぞれ未到達という良好な結果が報告されている[67,68]。治療効果は PD-L1 発現の程度や *BRAF/KRAS* 遺伝子変異の有無，リンチ症候群か否かに関わらず認められた。また，EORTC QLQ-C30 を用いた患者評価では，QOL や臨床症状の改善を認めた[67,68]。この結果をもとに2017年8月フルオロピリミジン系抗悪性腫瘍薬を含む化学療法後に病勢進行した dMMR 転移性大腸がんに対してニボルマブ単剤療法が，2018年7月にニボルマブ・イピリムマブ併用療法が FDA で承認された。本邦においても本試験の結果より2020年2月に同じ対象集団に対してニボルマブ単剤療法が，2020年9月にニボルマブ・イピリムマブ併用療法が承認された。抗 PD-L1 抗体薬であるデュルバルマブにおいても，dMMR 大腸がんを対象とした第Ⅱ相試験，dMMR 固形がんを対象とした第Ⅰ/Ⅱ相試験が行われ，ORR は大腸がんで22％，全体で23％と有効性が示された[69]。その他にも症例報告や

Ⅱ dMMR 固形がん 23

表 4-1　KEYNOTE-164/158 試験における dMMR 固形がん種別奏効割合[58, 59]

	N	奏効割合 n (%)
大腸がん	61	17 (28%)*
大腸がん以外の固形がん	94	35 (37%)**
子宮内膜がん	24	13 (54%)
胃がん	13	6 (46%)
小腸がん	13	4 (31%)
膵がん	10	1 (10%)
胆道がん	9	2 (22%)
副腎皮質がん	3	1 (33%)
中皮腫	3	0 (0%)
小細胞肺がん	3	2 (67%)
子宮頸がん	2	1 (50%)
神経内分泌腫瘍	2	0 (0%)
甲状腺がん	2	0 (0%)
尿路上皮がん	2	1 (50%)
脳腫瘍	1	0 (0%)
卵巣がん	1	0 (0%)
前立腺がん	1	0 (0%)
後腹膜腫瘍	1	1 (100%)
唾液腺がん	1	1 (100%)
肉腫	1	1 (100%)
精巣腫瘍	1	0 (0%)
扁桃がん	1	1 (100%)

＊：大腸がん奏効割合 95％CI：17-41%
＊＊：大腸がん以外の固形がん奏効割合 95％CI：28-48%

前向き第Ⅱ相試験の dMMR サブグループ解析などで，dMMR 固形がんに対する有効性が再現された。

　dMMR 大腸がんでは KEYNOTE-164 試験により，フッ化ピリミジン系抗悪性腫瘍薬，オキサリプラチンおよびイリノテカン塩酸塩水和物による化学療法歴を有する患者（コホート A）だけでなく，1 レジメン以上の化学療法歴を有する患者（コホート B）においても 63 例での治療成績として，ORR 32%（95％CI 21-45），PFS 中央値 4.1 か月（95％CI 2.1-NR），OS 中央値未到達と良好な結果が報告されている。さらに，未治療切除不能進行・再発大腸がんを対象とした標準治療とペムブロリズマブ単剤療法の有効性を検証した第Ⅲ相試験である KEYNOTE-177 試験が行われた。主要評価項目である PFS の中央値はペムブロリズマブ群で 16.5 か月（95％ CI 5.4-32.4），標準治療群 8.2 か月（95％ CI 6.1-10.2）と有意差をもってペムブロリズマブ群の PFS 延長が示された（HR 0.60，95％ CI 0.45-0.80，p＝0.0002）。ORR はペムブロリズマブ群 43.8%（95％ CI 35.8-52.0），標準治療群 33.1%（95％ CI 25.8-41.1）とペムブロリズマブ群で高かった[70]。OS 中央値はペムブロリズマブ単剤群が未到達

（95%CI 49.2-NR），標準化学療法群が36.7か月（95%CI 27.6-NR）だった（HR 0.74，95% CI 0.53-1.03，p＝0.0359）[71]。ペムブロリズマブ単剤群で良い傾向が認められたが有意な差ではなかったのは，標準治療群において60%の症例で後治療に免疫チェックポイント阻害薬が投与されていたことが1つの原因と考えられる。本試験の結果より切除不能進行・再発dMMR大腸がんの1次治療としてペムブロリズマブは2020年6月にFDAで承認され，本邦においても2021年8月25日に治癒切除不能な進行・再発の高頻度マイクロサテライト不安定性（MSI-High）を有する結腸・直腸癌に対して適応拡大された。

CheckMate-142試験においても未治療dMMR大腸がんに対するニボルマブ・イピリムマブ併用療法の有効性が検証されており，ORRは60%（95%CI 44.3-74.3）と良好な抗腫瘍効果を示したことが報告された[72]。その他にも未治療dMMR大腸がんを対象とした標準治療と抗PD-1/PD-L1抗体薬を比較検証する第Ⅲ相試験も実施されており（COMMIT試験，CheckMate-8HW），結果が待たれる。

分子生物学的にもdMMR固形がんでは共通して高い免疫原性が示唆されており，がん種や治療ライン毎の十分な症例数での報告ではないものの，dMMR固形がんでは免疫チェックポイント阻害薬の有効性が示されつつある。ただし，dMMR固形がんであっても，一部のがん種では（グリオーマ等）免疫チェックポイント阻害薬の効果が一様に認められるわけではない点[73]には留意する必要がある。

有害事象は，しばしば生じる重篤な免疫関連有害事象への留意は必要であるものの，概ね忍容可能である。よって，有効性・安全性の観点から免疫チェックポイント阻害薬の臓器特異的な適応が得られていない固形がんを含めて，全てのdMMR固形がん患者に対して，免疫チェックポイント阻害薬は有力な治療選択肢となりえる。がん増悪時に患者の全身状態が悪化する場合も多く，dMMR判定検査のturnaround time（TAT）を考慮すれば，診断早期にdMMR判定検査を実施し，免疫チェックポイント阻害薬の適応の有無を判断しておくことが望ましい。大腸がんにおいては治療開始前の評価が必要である。がん種によっては治療戦略決定に必要なバイオマーカー検査（大腸がんにおける*RAS/BRAF*検査，胃がんにおけるHER2検査，非小細胞肺がんにおける*EGFR，ALK，ROS1*やPD-L1発現検査等）があり，同時に検査することが望ましいが，バイオマーカーの優先度を考慮する必要もある。

以上より，切除不能進行・再発固形がん患者に対して，免疫チェックポイント阻害薬の適応を判断するために，dMMR判定検査を強く推奨する。

CQ1-2 MMR機能に関わらず免疫チェックポイント阻害薬がすでに実地臨床で使用可能な切除不能固形がん患者に対し，免疫チェックポイント阻害薬の適応を判断するためにdMMR判定検査は勧められるか？

MMR機能に関わらず免疫チェックポイント阻害薬がすでに実地臨床で使用可能な切除不能固形がん患者に対し，免疫チェックポイント阻害薬の適応を判断するためにdMMR判定検査を考慮する。

推奨度 Expert Consensus Opinion ［SR：0，R：7，ECO：13，NR：0］

Ⅱ dMMR固形がん　25

MMR 機能に関わらず免疫チェックポイント阻害薬の使用が可能である固形がんでは，MMR 機能によらず適応が判断されることから原則として dMMR 判定検査を実施する必要はないと考えられる。しかし，PD-L1 発現等の dMMR 以外のバイオマーカーによって免疫チェックポイント阻害薬の適応が判断される固形がんでマーカーが陰性だった場合，dMMR であれば免疫チェックポイント阻害薬の有効性が期待できると考えられることから，dMMR 判定検査を実施することが推奨される。

CQ1-3 局所治療で根治可能な固形がん患者に対し，免疫チェックポイント阻害薬の適応を判断するために dMMR 判定検査は勧められるか？

局所治療で根治可能な固形がん患者に対し，免疫チェックポイント阻害薬の適応を判断するために dMMR 判定検査を推奨しない。

推奨度 Not recommended ［SR：0，R：0，ECO：8，NR：12］

悪性黒色腫では，術後補助療法として抗 PD-1 抗体薬の有効性が示され，薬事承認されている（KEYNOTE-054 試験[74]，ONO-4538-21 試験[75]）。非小細胞肺がんでは白金製剤を用いた根治的同時化学放射線療法（CRT）後に病勢進行が認められなかった切除不能な局所進行例（ステージⅢ）を対象とし，抗 PD-L1 抗体薬を逐次投与する無作為化二重盲検プラセボ対照多施設共同第Ⅲ相試験である PACIFIC 試験の結果，薬事承認されている[76]。さらに，術前化学放射線療法後に切除された stage Ⅱ/Ⅲ の食道および食道胃接合部癌を対象にした Checkmate-577 試験においても，術後補助療法としてのニボルマブの有効性が示された[77]。しかし，これらの試験では MMR 機能による効果の差は報告されていないことから，治療前の dMMR 判定検査は原則不要である。また，それ以外の固形がんにおいては，周術期治療としての免疫チェックポイント阻害薬の有効性は確立されていないことから，局所療法で根治可能な場合には治療薬の選択のための dMMR 判定検査は原則不要である。以上より，現時点では局所進行および転移が認められない固形がん患者に対し，免疫チェックポイント阻害薬の適応を判定するために，dMMR 判定検査は推奨されない。

ただし，大腸がんでは，特に Stage Ⅱ 大腸がんにおいて，dMMR は予後良好因子であり，dMMR であればフルオロピリミジンによる補助化学療法が不要である[78,79]ということが知られており，補助化学療法の実施の判断のために，dMMR 判定検査を行うことが望ましいとされている（詳細は「大腸がん診療における遺伝子関連検査等のガイダンス第 4 版」参照）。さらに，現在 Stage Ⅲ の dMMR 大腸がんに対して術後補助化学療法として FOLFOX 療法とアテゾリズマブの併用療法の有効性を検証する試験（ATOMIC，Alliance A021502）が行われている。その他，多数の周術期の免疫チェックポイント阻害薬の有効性を検証する試験や，局所進行がんに対して放射線化学療法と併用する試験が現在行われている。良好な結果が得られれば局所治療によって根治可能な固形がんに対しても dMMR 判定検査が必要となってくる。がん種毎に Multidisciplinary team（MDT）カンファレンスで必要性を検討して実施していく。

CQ1-4 免疫チェックポイント阻害薬がすでに使用された切除不能な固形がん患者に対し，再度免疫チェックポイント阻害薬の適応を判断するために dMMR 判定検査は勧められるか？

免疫チェックポイント阻害薬がすでに使用された切除不能な固形がん患者に対し，再度免疫チェックポイント阻害薬の適応を判断するために dMMR 判定検査を推奨しない。

推奨度 Not recommended ［SR：0, R：0, ECO：0, NR：20］

　一部の固形がんでは MMR 機能に関わらず免疫チェックポイント阻害薬が薬事承認されている。すでに免疫チェックポイント阻害薬が投与されている場合に，異なる免疫チェックポイント阻害薬を投与する際の効果は一部報告されている。ニボルマブを 1 次治療として受けた非小細胞肺がんにおいて，2 次治療以降に抗 PD-1 抗体薬を投与された症例を後方視的に検討した結果，1 次治療のニボルマブが 3 か月以上であった症例で優位に有効性が高かったことが報告されている[80]。しかし，前向き試験での検討はなく，MMR 機能による効果の差は示されていない。よって，免疫チェックポイント阻害薬を投与する目的に，すでに使用された固形がん患者に対し dMMR 判定検査は推奨しない。

CQ1-5 すでにリンチ症候群と診断されている患者に発生した腫瘍の際，免疫チェックポイント阻害薬の適応を判断するために dMMR 判定検査は勧められるか？

すでにリンチ症候群と診断されている患者に発生した腫瘍の際，免疫チェックポイント阻害薬の適応を判断するために dMMR 判定検査を強く推奨する。

推奨度 Strongly recommended ［SR：17, R：2, ECO：1, NR：0］

　リンチ症候群の患者に発生した大腸がんで dMMR の頻度は 80-90%[81] と高いものの，リンチ症候群の患者で発生する腫瘍の中にもまれながら pMMR 腫瘍が発生することもある。リンチ症候群の患者組織が pMMR である場合における免疫チェックポイント阻害薬の感受性に関するエビデンスが明らかになっていない現状においては，リンチ症候群の患者に発生した腫瘍に対しても免疫チェックポイント阻害薬の適応を判定するための dMMR 判定検査が強く推奨される。

CQ2 | dMMR 判定検査法

　PubMed で "MSI or microsatellite instability or MMR or mismatch repair"，"neoplasm"，"IHC or immunohistochemistry"，"PCR or polymerase chain reaction"，"NGS or next generation sequencer" のキーワードで検索した。Cochrane Library も同等のキーワードで検索した。検索期間は 1980 年 1 月～2021 年 1 月とし，PubMed から 1031 編，Cochrane Library から 120 編が抽出された。一次スクリーニングで 669 編の論文が抽出され，二次スクリーニングで 537 編が抽出され，これらを対象に定性的システマチックレビューを行った。

Ⅱ　dMMR 固形がん　　27

CQ2-1 免疫チェックポイント阻害薬の適応を判定するための dMMR 判定検査として，MSI 検査は勧められるか？

免疫チェックポイント阻害薬の適応を判定するための dMMR 判定検査として，MSI 検査を強く推奨する。

推奨度 Strongly recommended ［SR：20，R：0，ECO：0，NR：0］

　KEYNOTE の5つの試験（KEYNOTE-016 試験，KEYNOTE-164 試験（コホート A），KEYNOTE-012 試験，KEYNOTE-028 試験，KEYNOTE-158 試験）の dMMR 固形がん症例の統合解析では，各施設の判定において IHC 検査または MSI 検査で dMMR と判定された患者が登録され，ペムブロリズマブの良好な抗腫瘍効果が示されている。149 名のうち，60 名が MSI 検査のみ，47 名が IHC 検査のみ，42 名が両方の検査で dMMR と判定されている[82]。そのうち，14 名のみが中央検査施設での MSI 検査により MSI-H と確定されている。また，dMMR と判定された大腸がん患者を対象としたニボルマブ療法の第Ⅱ相試験（Check-Mate-142 試験）でも，各施設での IHC 検査または MSI 検査で dMMR と判定された患者が登録され，ニボルマブ・イピリムマブの有効性が示されている[67]。以上より，がん種による違いが存在する可能性はあるものの，少なくとも IHC 検査または MSI 検査のいずれかにより dMMR と判定されれば，免疫チェックポイント阻害薬の抗腫瘍効果が期待できると考えられる。

　本邦では 2018 年9月，「MSI 検査キット（FALCO）」がペムブロリズマブのコンパニオン診断薬として薬事承認された。2021 年6月現在，「ペムブロリズマブの固形がん患者への適応を判断するための補助」「ニボルマブの結腸・直腸癌患者への適応を判定するための補助」「大腸癌におけるリンチ症候群の診断の補助」「大腸癌における化学療法の選択の補助」を使用目的として承認されている。国内のどの施設からも本検査をオーダーすることが可能であり，検査は質保証された検査機関で実施される。また，本検査キットは組織全体に占める腫瘍部位の割合が 40％以上の場合には，腫瘍組織のみでも MSI status 判定が可能であり，利便性も高い[48]。以上より，免疫チェックポイント阻害薬の適応を判定するための dMMR 判定検査として，MSI 検査は強く推奨される。

CQ2-2 免疫チェックポイント阻害薬の適応を判定するための dMMR 判定検査として，IHC 検査は勧められるか？

免疫チェックポイント阻害薬の適応を判定するための dMMR 判定検査として，IHC 検査を強く推奨する。

推奨度 Strongly recommended ［SR：15，R：5，ECO：0，NR：0］

　先に述べたように，KEYNOTE の5つの試験の統合解析，CheckMate-142 試験ともに各施設での IHC 検査または MSI 検査で dMMR と診断された患者を対象とし，免疫チェックポイント阻害薬の有効性が示されており，両試験において IHC 検査においてのみ dMMR と判

定された患者においても免疫チェックポイント阻害薬の有効性が示されている。実際，CheckMate-142試験では，MSI検査（ベセスダパネルに用いられている5つのマーカーとTGF-beta receptor type-2）による中央判定を行っており，各施設ではIHC検査によりdMMRと判定された74例中のうち14例がNon MSI-Hと判定された。しかし，その14例のうち3例（21％）で奏効が得られており[67]，IHC検査とMSI検査の結果が一致せずどちらか一方のみでdMMRと診断されている場合でも，免疫チェックポイント阻害薬による抗腫瘍効果は期待できると考えられる。IHC検査は，MSI検査やNGS検査と比較して安価に各医療機関で実施することが可能である。2021年12月，本邦において癌組織中に発現するMMRタンパク（MLH1，PMS2，MSH2，MSH6）をそれぞれ検出するIHC用の検査キット4製品からなる「ミスマッチ修復（MMR）機能欠損検出キット」が体外診断薬として承認された。

　以上より，免疫チェックポイント阻害薬の適応を判定するためのdMMR判定検査として，IHC検査は強く推奨される。

　MSI検査とIHC検査は，高い一致率が報告されている[83,84]一方で，不一致例の存在も報告されている。その一例として，MMR遺伝子の病的なミスセンスバリアントが挙げられる[85,86]。この場合，MMR機能喪失したタンパク質が発現しているため，MSI検査ではMSI-Hを示しdMMRと判定されるが，IHC検査ではMMRタンパクが検出され，pMMR（偽陰性）と判定される。dMMRであるこの腫瘍に対して免疫チェックポイント阻害薬の効果は期待できると想定される。このようなミスセンスバリアントはリンチ症候群の5％程度を占めると報告されている[87]。また，MSI検査の偽陰性の原因としては，腫瘍細胞含有割合が低い場合などが考えられるため，MSI検査（FALCO）では50％以上の腫瘍細胞含有割合が推奨されている。一方で，IHC検査またはMSI検査による陽性的中率は90％以上と報告されている[84]。IHC検査またはMSI検査でdMMR固形がんと診断され，免疫チェックポイント阻害薬を投与された症例のうち，奏効が得られなかった症例を再度MSI検査とIHC検査両方で評価すると60％がMSI-L/MSS/pMMRであったとの報告もある[80]。IHC検査では一部でタンパクの発現が低下している場合等，判定方法が明確になっていない染色パターンも存在する。また，検体の状態でMSI検査とIHC検査での判定方法検査のどちらの検査がより推奨されるかも検討が必要である。免疫チェックポイント阻害薬による恩恵が受けられる患者を幅広く拾いあげるという観点から，両検査の特性を理解して検査を行う必要があり，偽陰性・偽陽性の理由が想定可能な場合や検査精度・結果に疑問が残る場合には，もう一方の検査を追加実施することを検討する。

CQ2-3 免疫チェックポイント阻害薬の適応を判定するためのdMMR判定検査として，NGSを用いたマイクロサテライト不安定性の判定は勧められるか？

免疫チェックポイント阻害薬の適応を判定するためのマイクロサテライト不安定性判定検査として，分析学的妥当性が確立された（薬事承認等された）NGS検査を強く推奨する。

推奨度 Strongly recommended ［SR：14，R：6，ECO：0，NR：0］

本邦において，2018 年 12 月 27 日，固形がん患者を対象とした腫瘍組織の包括的ながんゲノムプロファイルを取得する目的，および一部の分子標的治療薬の適応判定のため体細胞遺伝子異常を検出する目的で FoundationOne® CDx が製造販売承認された。FoundationOne® CDx には NGS 法による MSI 判定も付随していることから，それぞれのがん種毎に，関連学会の最新のガイドライン等に基づく検査対象および時期で，包括的がんゲノムプロファイリング検査と同時に MSI 検査（NGS 法）が実施される。2021 年 6 月，本邦において FoundationOne® CDx が高頻度マイクロサテライト不安定性（MSI-High）を有するがんに対するニボルマブおよびペムブロリズマブのコンパニオン診断として承認された。2021 年 6 月に OncoGuide™ NCC オンコパネル システムもバージョンアップ（v2.01）を行われ，MSI の判定が可能となった。ただし，FoundationOne® CDx 以外の検査法は 2021 年 8 月時点ではコンパニオン診断薬として適用されていない。厚労省は「遺伝子パネル検査の保険適用に係る留意点について」内に，遺伝子パネル検査後のエキスパートパネルが添付文書・ガイドライン・文献等を踏まえて「コンパニオン検査が存在する遺伝子の異常に係る医薬品投与が適切」と判断した場合には，当該コンパニオン検査を改めて行うことなく当該医薬品を投与してよいとしている。これらの NGS 検査の実施には施設要件があることからも，NGS 法によるマイクロサテライト不安定性判定は国内の限られた施設のみでしかアクセスできないと予想される。さらに，NGS 検査では一定程度の failure rate があり検査の feasibility に課題がある。

　ペムブロリズマブの FDA 承認申請に用いられた KEYNOTE の 5 試験や CheckMate-142 試験では，dMMR のスクリーニング検査に NGS 検査は含まれていない。しかしながら，NGS 検査による MMR 機能の判定と MSI 検査は，マイクロサテライトの反復回数を用いて dMMR かどうかを判定しているという点でその測定原理も類似し，また両者の一致率は，大腸がん 99.4％，大腸がん以外の固形がん 96.5％と極めて高いことが報告されている[88]。さらに，不一致例を解析すると IHC 検査では dMMR であったが NGS では MSS であったことが報告されており，NGS 検査がより有用であることも示唆されている。そのため，MSI 判定の分析学的妥当性が確立された NGS 検査によって MSI-H と判定された患者に対し，コンパニオン診断薬 MSI 検査（FALCO）や IHC 検査での再確認は科学的には不要である。以上より，免疫チェックポイント阻害薬の適応を判定するためのマイクロサテライト不安定性判定検査として，分析学的妥当性が確立された（薬事承認等された）NGS 検査は強く推奨される。

5 参考資料

別添表1　アムステルダム基準II（1999）

少なくとも3人の血縁者がHNPCC*（リンチ症候群）関連がん（大腸がん，子宮内膜がん，腎盂・尿管がん，小腸がん）に罹患しており，以下の全てを満たしている。
1. 1人の罹患者はその他の2人に対して第1度近親者である。
2. 少なくとも連続する2世代で罹患している。
3. 少なくとも1人のがんは50歳未満で診断されている。
4. 腫瘍は病理学的にがんであることが確認されている。
5. FAP**が除外されている。

*HNPCC：hereditary nonpolyposis colorectal cancer，　**FAP：familial adenomatous polyposis

別添表2　改訂ベセスダガイドライン（2004）

以下の項目のいずれかを満たす大腸がん患者には，腫瘍のMSI検査が推奨される。
1. 50歳未満で診断された大腸がん。
2. 年齢に関わりなく，同時性あるいは異時性大腸がんあるいはその他のリンチ症候群関連腫瘍*がある。
3. 60歳未満で診断されたMSI-Hの組織学的所見**を有する大腸がん。
4. 第1度近親者が1人以上リンチ症候群関連腫瘍に罹患しており，そのうち一つは50歳未満で診断された大腸がん。
5. 年齢に関わりなく，第1度あるいは第2度近親者の2人以上がリンチ症候群関連腫瘍と診断されている患者の大腸がん。

*：大腸がん，子宮内膜がん，胃がん，卵巣がん，膵がん，胆道がん，小腸がん，腎盂・尿管がん，脳腫瘍（通常はTurcot症候群にみられるglioblastoma），ムア・トレ症候群の皮脂腺腫や角化棘細胞腫
**：腫瘍内リンパ球浸潤，クローン様リンパ球反応，粘液がん・印環細胞がん様分化，髄様増殖

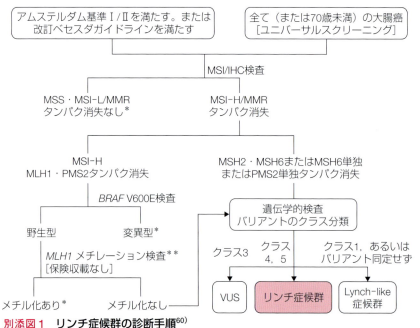

別添図1　リンチ症候群の診断手順[60]
(「遺伝性大腸癌診療ガイドライン 2020 年版」より引用)

MSI：microsatellite instability（マイクロサテライト不安定性），IHC：immunohistochemistry（免疫組織化学的染色），MSI-H：high-frequency MSI（高頻度 MSI），MSI-L：low-frequency MSI（低頻度 MSI），MSS：microsatellite stable（マイクロサテライト安定性），MMR：mismatch repair（ミスマッチ修復），VUS：variant of uncertain significance（病的か不明なバリアント）。

＊：遺伝学的検査に進まない，＊＊：BRAF V600E 検査を行わずに MLH1 メチレーション検査のみを行っても良い。

参考文献

1) Imai K, Yamamoto H. Carcinogenesis and microsatellite instability：The interrelationship between genetics and epigenetics. Carcinogenesis. 2008；29（4）：673-680.

2) McGivern A, Wynter CV, Whitehall VL et al. Promoter hypermethylation frequency and BRAF mutations distinguish hereditary non-polyposis colon cancer from sporadic MSI-H colon cancer. Fam Cancer. 2004；3（2）：101-107.

3) Kuiper RP, Vissers LE, Venkatachalam R et al. Recurrence and variability of germline EPCAM deletions in Lynch syndrome. Hum Mutat. 2011；32（4）：407-414.

4) Niessen RC, Hofstra RM, Westers H et al. Germline hypermethylation of MLH1 and EPCAM deletions are a frequent cause of Lynch syndrome. Genes Chromosomes Cancer. 2009；48（8）：737-744.

5) Goel A, Nguyen TP, Leung HC et al. De novo constitutional MLH1 epimutations confer early-onset colorectal cancer in two new sporadic Lynch syndrome cases, with derivation of the epimutation on the paternal allele in one. Int J Cancer. 2011；128（4）：869-878.

6) Lynch HT, de la Chapelle A. Hereditary colorectal cancer. N Engl J Med. 2003；348（10）：919-932.

7) Peltomaki P. Lynch syndrome genes. Fam Cancer. 2005；4（3）：227-232.

8) Bakry D, Aronson M, Durno C et al. Genetic and clinical determinants of constitutional mismatch repair deficiency syndrome：report from the constitutional mismatch repair defi-

ciency consortium. Eur J Cancer. 2014 ; 50 （5）: 987-996.

9) Akagi K, Oki E, Taniguchi H et al. Real-world data on microsatellite instability status in various unresectable or metastatic solid tumors. Cancer Sci. 2021 ; 112 （3）: 1105-1113.

10) Le DT, Durham JN, Smith KN et al. Mismatch repair deficiency predicts response of solid tumors to PD-1 blockade. Science. 2017 ; 357 （6349）: 409-413.

11) Latham A, Srinivasan P, Kemel Y et al. Microsatellite Instability Is Associated With the Presence of Lynch Syndrome Pan-Cancer. J Clin Oncol. 2019 ; 37 （4）: 286-295.

12) Hause RJ, Pritchard CC, Shendure J et al. Classification and characterization of microsatellite instability across 18 cancer types. Nat Med. 2016 ; 22 （11）: 1342-1350.

13) Funkhouser WK Jr., Lubin IM, Monzon FA et al. Relevance, pathogenesis, and testing algorithm for mismatch repair-defective colorectal carcinomas : a report of the Association for Molecular Pathology. J Mol Diagn. 2012 ; 14 （2）: 91-103.

14) Asaka S, Arai Y, Nishimura Y et al. Microsatellite instability-low colorectal cancer acquires a KRAS mutation during the progression from Dukes' A to Dukes' B. Carcinogenesis. 2009 ; 30 （3）: 494-499.

15) Ishikubo T, Nishimura Y, Yamaguchi K et al. The clinical features of rectal cancers with high-frequency microsatellite instability （MSI-H）in Japanese males. Cancer Lett. 2004 ; 216 （1）: 55-62.

16) Fujiyoshi K, Yamamoto G, Takenoya T et al. Metastatic Pattern of Stage Ⅳ Colorectal Cancer with High-Frequency Microsatellite Instability as a Prognostic Factor. Anticancer Res. 2017 ; 37 （1）: 239-247.

17) Kajiwara T, Shitara K, Denda T et al. The Nationwide Cancer Genome Screening Project for Gastrointestinal Cancer in Japan （GI-SCREEN）: MSI-status and cancer-related genome alterations in advanced colorectal cancer（CRC）-GI-SCREEN 2013-01-CRC sub-study. J Clin Oncol. 2016 ; 34 （suppl_15）: abstr 3573.

18) Koinuma K, Shitoh K, Miyakura Y et al. Mutations of BRAF are associated with extensive hMLH1 promoter methylation in sporadic colorectal carcinomas. Int J Cancer. 2004 ; 108 （2）: 237-242.

19) An JY, Kim H, Cheong JH et al. Microsatellite instability in sporadic gastric cancer : Its prognostic role and guidance for 5-FU based chemotherapy after R0 resection. Int J Cancer. 2012 ; 131 （2）: 505-511.

20) Yamamoto H, Perez-Piteira J, Yoshida T et al. Gastric cancers of the microsatellite mutator phenotype display characteristic genetic and clinical features. Gastroenterology. 1999 ; 116 （6）: 1348-1357.

21) Choi YY, Bae JM, An JY et al. Is microsatellite instability a prognostic marker in gastric cancer? A systematic review with meta-analysis. J Surg Oncol. 2014 ; 110 （2）: 129-135.

22) Schulmann K, Brasch FE, Kunstmann E et al. HNPCC-associated small bowel cancer : clinical and molecular characteristics. Gastroenterology. 2005 ; 128 （3）: 590-599.

23) Chiappini F, Gross-Goupil M, Saffroy R et al. Microsatellite instability mutator phenotype in hepatocellular carcinoma in non-alcoholic and non-virally infected normal livers. Carcinogenesis. 2004 ; 25 （4）: 541-547.

24) Goeppert B, Roessler S, Renner M et al. Mismatch repair deficiency is a rare but putative therapeutically relevant finding in non-liver fluke associated cholangiocarcinoma. Br J Cancer. 2019 ; 120 （1）: 109-114.

25) Roa JC, Roa I, Correa P et al. Microsatellite instability in preneoplastic and neoplastic lesions of the gallbladder. J Gastroenterol. 2005 ; 40 （1）: 79-86.

26) Cloyd JM, Chun YS, Ikoma N et al. Clinical and Genetic Implications of DNA Mismatch Repair Deficiency in Biliary Tract Cancers Associated with Lynch Syndrome. J Gastrointest Can-

cer. 2018 ; 49 (1) : 93-96.

27) Yamamoto H, Itoh F, Nakamura H et al. Genetic and clinical features of human pancreatic ductal adenocarcinomas with widespread microsatellite instability. Cancer Res. 2001 ; 61 (7) : 3139-3144.

28) Humphris JL, Patch AM, Nones K et al. Hypermutation In Pancreatic Cancer. Gastroenterology. 2017 ; 152 (1) : 68-74.

29) Cloyd JM, Katz MHG, Wang H et al. Clinical and Genetic Implications of DNA Mismatch Repair Deficiency in Patients With Pancreatic Ductal Adenocarcinoma. JAMA Surg. 2017 ; 152 (11) : 1086-1088.

30) Hu ZI, Shia J, Stadler ZK et al. Evaluating Mismatch Repair Deficiency in Pancreatic Adenocarcinoma : Challenges and Recommendations. Clin Cancer Res. 2018 ; 24 (6) : 1326-1336.

31) Lupinacci RM, Goloudina A, Buhard O et al. Prevalence of Microsatellite Instability in Intraductal Papillary Mucinous Neoplasms of the Pancreas. Gastroenterology. 2018 ; 154 (4) : 1061-1065.

32) Riazy M, Kalloger SE, Sheffield BS et al. Mismatch repair status may predict response to adjuvant chemotherapy in resectable pancreatic ductal adenocarcinoma. Mod Pathol. 2015 ; 28 (10) : 1383-1389.

33) Koornstra JJ, Mourits MJ, Sijmons RH et al. Management of extracolonic tumours in patients with Lynch syndrome. Lancet Oncol. 2009 ; 10 (4) : 400-408.

34) Pal T, Permuth-Wey J, Kumar A et al. Systematic review and meta-analysis of ovarian cancers : estimation of microsatellite-high frequency and characterization of mismatch repair deficient tumor histology. Clin Cancer Res. 2008 ; 14 (21) : 6847-6854.

35) Goodfellow PJ, Buttin BM, Herzog TJ et al. Prevalence of defective DNA mismatch repair and MSH6 mutation in an unselected series of endometrial cancers. Proc Natl Acad Sci USA. 2003 ; 100 (10) : 5908-5913.

36) Kim J, Kong JK, Yang W et al. DNA Mismatch Repair Protein Immunohistochemistry and MLH1 Promotor Methylation Testing for Practical Molecular Classification and the Prediction of Prognosis in Endometrial Cancer. Cancers. 2018 ; 10 (9) : E279.

37) Barrow E, Robinson L, Alduaij W et al. Cumulative lifetime incidence of extracolonic cancers in Lynch syndrome : a report of 121 families with proven mutations. Clin Genet. 2009 ; 75 (2) : 141-149.

38) Dowty JG, Win AK, Buchanan DD et al. Cancer risks for MLH1 and MSH2 mutation carriers. Hum Mutat. 2013 ; 34 (3) : 490-497.

39) Hirasawa A, Imoto I, Naruto T et al. Prevalence of pathogenic germline variants detected by multigene sequencing in unselected Japanese patients with ovarian cancer. Oncotarget. 2017 ; 8 (68) : 112258-112267.

40) Bonadona V, Bonaïti B, Olschwang S et al. Cancer risks associated with germline mutations in MLH1, MSH2, and MSH6 genes in Lynch syndrome. JAMA. 2011 ; 305 (22) : 2304-2310.

41) Baglietto L, Lindor NM, Dowty JG et al. Dutch Lynch Syndrome Study Group. Risks of Lynch syndrome cancers for MSH6 mutation carriers. J Natl Cancer Inst. 2010 ; 102 (3) : 193-201.

42) Tashiro H, Lax SF, Gaudin PB et al. Microsatellite instability is uncommon in uterine serous carcinoma. Am J Pathol. 1997 ; 150 (1) : 75-79.

43) Broaddus RR, Lynch HT, Chen LM et al. Pathologic features of endometrial carcinoma associated with HNPCC : a comparison with sporadic endometrial carcinoma. Cancer. 2006 ; 106 (1) : 87-94.

44) Huang D, Matin SF, Lawrentschuk N et al. Systematic Review : An Update on the Spectrum of Urological Malignancies in Lynch Syndrome. Bladder Cancer. 2018 ; 4 (3) : 261-268.

45) Harper HL, McKenney JK, Heald B et al. Upper tract urothelial carcinomas : frequency of

association with mismatch repair protein loss and lynch syndrome. Mod Pathol. 2017；30 (1)：146-156.

46) Therkildsen C, Eriksson P, Höglund M et al. Molecular subtype classification of urothelial carcinoma in Lynch syndrome. Mol Oncol. 2018；12 (8)：1286-1295.

47) Brennetot C, Buhard O, Jourdan F et al. Mononucleotide repeats BAT-26 and BAT-25 accurately detect MSI-H tumours and predict tumor content：implications for population screening. Int J Cancer. 2005；113 (3)：446-450.

48) Bando H, Okamoto W, Fukui T et al. Utility of the quasi-monomorphic variation range in unresectable metastatic colorectal cancer patients. Cancer Sci. 2018；109 (11)：3411-3415.

49) Patil DT, Bronner MP, Portier BP et al. A five-marker panel in a multiplex PCR accurately detects microsatellite instability-high colorectal tumors without control DNA. Diagn Mol Pathol. 2012；21 (3)：127-133.

50) Wang Y, Shi C, Eisenberg R et al. Differences in Microsatellite Instability Profiles between Endometrioid and Colorectal Cancers：A Potential Cause for False-Negative Results? J Mol Diagn. 2017；19 (1)：57-64.

51) Shia J, Tang LH, Vakiani E et al. Immunohistochemistry as first-line screening for detecting colorectal cancer patients at risk for hereditary nonpolyposis colorectal cancer syndrome：a 2-antibody panel may be as predictive as a 4-antibody panel. Am J Surg Pathol. 2009；33 (11)：1639-1645.

52) Hempelmann JA, Scroggins SM, Pritchard CC et al. MSIplus for Integrated Colorectal Cancer Molecular Testing by Next-Generation Sequencing. J Mol Diagn. 2015；17 (6)：705-714.

53) FoundationOne SUMMARY OF SAFETY AND EFFECTIVENESS DATA (SSED)

54) Middha S, Zhang L, Nafa K et al. Reliable Pan-Cancer Microsatellite Instability Assessment by Using Targeted Next-Generation Sequencing Data. JCO Precis Oncol. 2017 [Epub ahead of print]

55) Hause RJ, Pritchard CC, Shendure J et al. Classification and characterization of microsatellite instability across 18 cancer types. Nat Med. 2016；22 (11)：1342-1350.

56) Bonneville R, Krook MA, Kautto EA et al. Landscape of Microsatellite Instability Across 39 Cancer Types. JCO Precis Oncol. 2017 [Epub ahead of print]

57) Ishida Y, Agata Y, Shibahara K et al. Induced expression of PD-1, a novel member of the immunoglobulin gene superfamily, upon programmed cell death. EMBO J. 1992；11 (11)：3887-3895.

58) KEYNOTE-164　承認時評価資料（http://image.packageinsert.jp/pdf.php?mode=1&y jcode=4291435A1029 参照）

59) KEYNOTE-158　承認時評価資料（http://image.packageinsert.jp/pdf.php?mode=1&y jcode=4291435A1029 参照）

60) 大腸癌研究会 編. 遺伝性大腸癌診療ガイドライン 2020 年版. 金原出版, 東京, 2020.

61) van Lier MG, Leenen CH, Wagner A, et al. Yield of routine molecular analyses in colorectal cancer patients ≤70 years to detect underlying Lynch syndrome. J Pathol. 2012；226 (5)：764-774.

62) Julie C, Tresallet C, Brouquet A, et al. Identification in daily practice of patients with Lynch syndrome (hereditary nonpolyposis colorectal cancer)：revised Bethesda guidelines-based approach versus molecular screening. Am J Gastroenterol. 2008；103 (11)：2825-2835.

63) Domingo E, Laiho P, Ollikainen M et al. BRAF screening as a low-cost effective strategy for simplifying HNPCC genetic testing. J Med Genet. 2004；41 (9)：664-668.

64) Wimmer K, Rosenbaum T, Messiaen L. Connections between constitutional mismatch repair deficiency syndrome and neurofibromatosis type 1. Clin Genet. 2017；91 (4)：507-519.

65) Larouche V, Atkinson J, Albrecht S et al. Sustained complete response of recurrent glioblas-

toma to combined checkpoint inhibition in a young patient with constitutional mismatch repair deficiency. Pediatr Blood Cancer. 2018 ; 65 (12) : e27389.

66) AlHarbi M, Ali Mobark N, AlMubarak L et al. Durable Response to Nivolumab in a Pediatric Patient with Refractory Glioblastoma and Constitutional Biallelic Mismatch Repair Deficiency. Oncologist. 2018 ; 23 (12) : 1401-1406.

67) Overman MJ, McDermott R, Leach JL et al. Nivolumab in patients with metastatic DNA mismatch repair-deficient or microsatellite instability-high colorectal cancer (CheckMate 142) : an open-label, multicentre, phase 2 study. Lancet Oncol. 2017 ; 18 (9) : 1182-1191.

68) Overman MJ, Lonardi S, Wong KYM et al. Durable Clinical Benefit With Nivolumab Plus Ipilimumab in DNA Mismatch Repair-Deficient/Microsatellite Instability-High Metastatic Colorectal Cancer. J Clin Oncol. 2018 ; 36 (8) : 773-779.

69) Segal NH, Wainberg ZA, Overman MJ et al. Safety and clinical activity of durvalumab monotherapy in patients with microsatellite instability-high (MSI-H) tumors. J Clin Oncol. 2019 ; 37 (suppl_4) : abstr670.

70) André T, Shiu KK, Kim TW et al. Pembrolizumab in Microsatellite-Instability-High Advanced Colorectal Cancer. N Engl J Med. 2020 ; 383 (23) : 2207-2218.

71) Andre T, Shiu KK, Kim TW et al. Final overall survival for the phase III KN177 study : Pembrolizumab versus chemotherapy in microsatellite instability-high/mismatch repair deficient (MSI-H/dMMR) metastatic colorectal cancer (mCRC). JCO. 2021 ; 39 (15_suppl) : abstr 3500

72) Lenz HJ, Custem EV, Limon ML, et al. First-Line Nivolumab Plus Low-Dose Ipilimumab for Microsatellite Instability-High/Mismatch Repair-Deficient Metastatic Colorectal Cancer : The Phase II CheckMate 142 Study. J Clin Oncol. 2021 [online ahead of print].

73) Diaz LA, Le D, Maio M et al. Pembrolizumab in microsatellite instability high cancer : Updated analysis of the phase II KEYNOTE-164 and KEYNOTE-158 studies. Ann Oncol. 2019 ; 30 (suppl_5) : 1174O.

74) Eggermont AMM, Blank CU, Mandala M et al. Adjuvant Pembrolizumab versus Placebo in Resected Stage III Melanoma. N Engl J Med. 2018 ; 378 (19) : 1789-1801.

75) Romano E, Scordo M, Dusza SW et al. Site and timing of first relapse in stage III melanoma patients : implications for follow-up guidelines. J Clin Oncol. 2010 ; 28 (18) : 3042-3047.

76) Antonia SJ, Villegas A, Daniel D et al. Overall Survival with Durvalumab after Chemoradiotherapy in Stage III NSCLC. N Engl J Med. 2018 ; 379 (24) : 2342-2350.

77) Kelly RJ, Ajani JA, Kuzdzal J et al. Adjuvant Nivolumab in Resected Esophageal or Gastroesophageal Junction Cancer. N Engl J Med. 2021 ; 384 (13) : 1191-1203.

78) Hutchins G, Southward K, Handley K et al. Value of mismatch repair, KRAS, and BRAF mutations in predicting recurrence and benefits from chemotherapy in colorectal cancer. J Clin Oncol. 2011 ; 29 (10) : 1261-1270.

79) Ribic CM, Sargent DJ, More MJ et al. Tumor microsatellite-instability status as a predictor of benefit from fluorouracil-based adjuvant chemotherapy for colon cancer. N Engl J Med. 2003 ; 349 : 247-257.

80) Giaj Levra M, Cotté FE, Corre R et al. Immunotherapy rechallenge after nivolumab treatment in advanced non-small cell lung cancer in the real-world setting : A national data base analysis. Lung Cancer. 2020 ; 140 : 99-106.

81) Aaltonen LA, Peltomäki P, Mecklin JP et al. Replication errors in benign and malignant tumors from hereditary nonpolyposis colorectal cancer patients. Cancer Res. 1994 ; 54 (7) : 1645-1648.

82) KEYNOTE-016 試験, KEYNOTE-164 試験(コホート A), KEYNOTE-012 試験, KEYNOTE-028 試験, KEYNOTE-158 試験　FDA 承認時評価資料(https://www.accessdata.fda.gov/drug

satfda_docs/label/2020/125514s084lbl.pdf 参照）

83）Loughrey MB, McGrath J, Coleman HG et al. Identifying mismatch repair-deficient colon cancer：near-perfect concordance between immunohistochemistry and microsatellite instability testing in a large, population-based series. Histopathology. 2021；78（3）：401-413.

84）Cohen R, Hain E, Buhard O et al. Association of Primary Resistance to Immune Checkpoint Inhibitors in Metastatic Colorectal Cancer With Misdiagnosis of Microsatellite Instability or Mismatch Repair Deficiency Status. JAMA Oncol. 2019；5（4）：551-555.

85）Mangold E, Pagenstecher C, Friedl W et al. Tumours from MSH2 mutation carriers show loss of MSH2 expression but many tumours from MLH1 mutation carriers exhibit weak positive MLH1 staining. J Pathol. 2005；207（4）：385-395.

86）Wahlberg SS, Schmeits J, Thomas G et al. Evaluation of microsatellite instability and immunohistochemistry for the prediction of germ-line MSH2 and MLH1 mutations in hereditary nonpolyposis colon cancer families. Cancer Res. 2002；62（12）：3485-3492.

87）Bellizzi AM, Frankel WL. Colorectal cancer due to deficiency in DNA mismatch repair function：a review. Adv Anat Pathol. 2009；16（6）：405-417.

88）Vanderwalde A, Spetzler D, Xiao N et al. Microsatellite instability status determined by next-generation sequencing and compared with PD-L1 and tumor mutational burden in 11,348 patients. Cancer Med. 2018；7（3）：746-756.

III | NTRK（neurotrophic receptor tyrosine kinase）

6.1 | NTRK とは（表 6-1）

がん遺伝子としての *NTRK1* 遺伝子は 1982 年 Pulciani, Barbacid らにより，大腸がん組織を用いた gene transfer assay の中で発見され，OncB として報告された[1]。現在では *NTRK* 遺伝子ファミリーは *NTRK1～3* までが知られている。*NTRK1～3* はそれぞれ受容体型チロシンキナーゼである tropomyosin receptor kinase（TRK）A，TRKB，TRKC をコードする。TRKA は神経系に発現し，nerve growth factor（NGF）が結合するとリン酸化される[2,3]。TRKB に対しては brain-derived neurotrophic factor（BDNF）と neurotrophin（NT)-4，TRKC に対して NT-3 がそれぞれリガンドとして知られる。NT-3 は他の TRK にも結合するが，TRKC への親和性が最も高い。TRKA は疼痛や体温調整，TRKB は運動，記憶，感情，食欲，体重のコントロール，TRKC は固有感覚に影響する。TRK にリガンドが結合すると，細胞内チロシン残基の自己リン酸化が起こり，下流の PLC-γ 経路，MAPK 経路，および PI3K/AKT 経路などの活性化が起こり，細胞の分化，生存や増殖などが引き起こされる[4,5]。

6.2 | NTRK 遺伝子異常

NTRK 遺伝子変化には様々なものがあるが，悪性腫瘍の治療上重要なのは *NTRK* 遺伝子のミスセンスバリアントと *NTRK* 融合遺伝子である。

6.2.1　遺伝子バリアント，遺伝子増幅

NTRK 遺伝子バリアントは，大腸がん，肺がん，悪性黒色腫，急性白血病などで報告されているが，いずれも TRK キナーゼ活性は wild type と同程度かむしろ低下している（表 6-2)[6]。*NTRK* 遺伝子のミスセンスバリアントと悪性腫瘍発生との関連については確立されていないが，キナーゼ領域に関わる遺伝子のミスセンスバリアントが認められると，TRK 阻害

表 6-1　*NTRK* 遺伝子

遺伝子	NTRK 1	NTRK 2	NTRK 3
同義語	MTC；TRK；TRK1；TRKA；TRK-A；p140-TrkA	OBHD；TRKB；DEE58；trk-B；EIEE58；GP145-TrkB	TRKC；GP145-TrkC；gp145（trkC)
遺伝子座	1q23.1	9q21.33	15q25.3
exon 数	19	28	35
NCBI Entrez Gene	https://www.ncbi.nlm.nih.gov/gene/4914	https://www.ncbi.nlm.nih.gov/gene/4915	https://www.ncbi.nlm.nih.gov/gene/4916

表 6-2 *NTRK* 遺伝子変化（ミスセンスバリアント）と TRK キナーゼ活性

NTRK	がん種	アミノ酸変異	TRK キナーゼ活性
NTRK1	悪性黒色腫	M379I[10]	Wild-type と同程度
	悪性黒色腫	R577G	Wild-type と同程度
NTRK2	大腸がん	T695I[11]	活性低下
	大腸がん	D751N	活性低下
	肺がん	L138F	Wild-type と同程度
	悪性黒色腫	P507L	Wild-type と同程度
	肺がん	M713I[12]	活性低下
	肺がん	R715G	活性低下
	肺がん	R734C	活性低下

薬であるラロトレクチニブやエヌトレクチニブの耐性となることが報告されており，一方，*NTRK1* splice variant TRKA Ⅲ と in-frame deletion mutant（ΔTRKA）が神経芽腫と急性骨髄性白血病で報告され，腫瘍原性が認められる[7,8]。*NTRK* 遺伝子と悪性腫瘍以外の疾患との関連については，遺伝性疾患である先天性無痛無汗症 4 型で *NTRK1* 遺伝子に病的バリアントを有することが知られている。また，*NTRK* 遺伝子増幅は，乳がん，皮膚基底細胞がん，肺がんなどで報告されている。また，神経芽腫における TRKA，TRKC の発現は予後良好であることが報告されている[9]。しかし，現在のところ腫瘍原性や治療標的としての意義は確立されていない。

6.2.2　融合遺伝子

　NTRK 融合遺伝子は多くのがん種において報告されている腫瘍原性の遺伝子変化である[13]。染色体内あるいは染色体間での転座により，*NTRK1*〜*3* のキナーゼ部分を含む遺伝子の 3′ 側と，パートナーとなる遺伝子（様々なものが報告されている）の 5′ 側とで融合遺伝子が形成される。これにより，リガンド非依存性にキナーゼの活性化を来すようになると，発がんに寄与すると考えられている。ラロトレクチニブ，エヌトレクチニブの臨床試験で認められた融合遺伝子を**表 6-3** に示す（エヌトレクチニブ 54 例，ラロトレクチニブ 55 例の統合結果）。

6.3 　*NTRK* 融合遺伝子のがん種別頻度

　NTRK 融合遺伝子は，幅広いがん種にわたって認められる（**表 6-4**）[5,17-20]。一部のがん種では *NTRK* 融合遺伝子を高頻度に認め，唾液腺分泌がん（乳腺類似分泌がん）[21,22]，乳腺分泌がん[23-25]，乳児型線維肉腫（先天性線維肉腫）[26-29]，先天性間葉芽腎腫などが該当する。これらのがん種で認められるのはほとんどの場合 *ETV6-NTRK3* 融合遺伝子である。それ以外のがん種では，*NTRK* 融合遺伝子の頻度は一般的に低い（**表 6-4**）。

　唾液腺分泌がん（乳腺類似分泌がん，MASC）は，2010 年にチェコの Skalova らが，唾液腺に生じた乳腺分泌がんに類似した組織型の腫瘍について，*ETV6-NTRK3* 融合遺伝子がみ

表 6-3　ラロトレクチニブ，エヌトレクチニブの臨床試験で認められた融合遺伝子（承認申請時資料より作成）[14-16]

融合遺伝子	患者数	奏効患者数	奏効割合
NTRK1	47	28	59.6%
CD74-NTRK1	1	1	100.0%
CDC42BPA-NTRK1	1	1	100.0%
CGN-NTRK1	1	0	0.0%
CTRC-NTRK1	1	0	0.0%
EPS15L1-NTRK1	1	1	100.0%
ERC1-NTRK1	1	0	0.0%
GON4L-NTRK1	1	0	0.0%
IRF2BP2-NTRK1	2	2	100.0%
LMNA-NTRK1	7	3	42.9%
PDE4DIP-NTRK1	1	1	100.0%
PDIA3-NTRK1	1	0	0.0%
PEAR1-NTRK1	2	0	0.0%
PLEKHA6-NTRK1	2	1	50.0%
PPL-NTRK1	1	1	100.0%
SQSTM1-NTRK1	4	4	100.0%
TPM3-NTRK1	13	7	53.8%
TPR-NTRK1	5	5	100.0%
TRIM33-NTRK1	1	0	0.0%
TRIM63-NTRK1	1	1	100.0%
NTRK2	2	1	50.0%
SQSTM1-NTRK2	1	0	0.0%
STRN-NTRK2	1	1	100.0%
NTRK3	60	43	71.7%
AKAP13-NTRK3	1	0	0.0%
EML4-NTRK3	2	0	0.0%
ETV6-NTRK3	50	38	76.0%
FAM19A2-NTRK3	1	0	0.0%
Inferred ETV6-NTRK3	3	3	100.0%
KIF7-NTRK3	1	0	0.0%
RBPMS-NTRK3	1	1	100.0%
TPM4-NTRK3	1	1	100.0%
合計	109	72	66.1%

られることを報告した[30]。男性に多く，発症年齢は平均 44 歳と報告される[31]。

　乳腺分泌がんは非常にまれな乳がんであり，頻度は全乳がん中＜0.15％，発症年齢中央値 25 歳，男女ともに認められる[32]。多くはトリプルネガティブ乳がんである。*ETV6-NTRK3* 融合遺伝子がみられる。予後は良好であるが，長期経過後の再発も報告される。

　乳児型線維肉腫は乳児悪性腫瘍の 12％を占め，36-80％では先天性であったとの報告もあ

表 6-4　*NTRK* 融合遺伝子の頻度

疾患	文献での頻度	TCGA データベースでの頻度 (n＝9,966)[5]
高頻度（＞50%）に認められる疾患	システマティックレビュー[17]	
乳腺分泌癌	92.87%	92%
乳児型線維肉腫	90.56%	86-91%
唾液腺分泌癌（唾液腺乳腺類似分泌癌）	79.68%	93-100%
リード色素性紡錘形細胞母斑	56.52%	
比較的高頻度に認められる疾患（10-50%）	システマティックレビュー[17]	
乳頭状甲状腺癌（小児）	25.93%	
分化型甲状腺癌（小児）	22.22%	
先天性間葉芽腎腫（全サブセット）※	21.52%	
高悪性度神経膠腫	21.21%	40%（3 歳未満，非脳幹部）(4/10)，5.3%†
低悪性度粘表皮癌	20.00%	
唾液腺腺房細胞癌	11.11%	
びまん性脳脊髄膜グリア神経細胞腫瘍	10.00%	
低頻度に報告されている疾患	FoundationMedicine の集計データ（n＝217,086）[18]	
唾液腺癌	2.49%	
甲状腺癌	1.07%	2.34%
軟部肉腫	1.06%	0.76%
GIST（消化管間質腫瘍）	0.59%	
神経膠腫	0.33%	0.56%（神経膠芽腫），0.94%（低悪性度神経膠腫）
腹膜癌	0.29%	
卵管癌	0.28%	
膀胱癌	0.23%	
乳癌	0.23%	0.18%
大腸癌	0.21%	0.97%
肝癌	0.19%	
子宮癌	0.19%	0.33%（子宮頸癌）
胆道癌	0.18%	
卵巣癌	0.18%	
非小細胞肺癌	0.17%	0.18%
骨サルコーマ	0.16%	
悪性黒色腫	0.16%	0.21%
胆管癌	0.15%	
前立腺癌	0.15%	
原発不明癌	0.14%	
胃癌	0.14%	
膵癌	0.13%	0.56%
小腸癌	0.10%	

† St. Jude PeCan Data Portal より（https://pecan.stjude.cloud/#!/about）。

※富細胞型先天性間葉芽腎腫 Cellular mesoblastic nephroma では，*ETV6-NTRK3* 融合遺伝子が高頻度に報告されている[19,20]。

る。2歳以降での発症はまれである。四肢発生が多い。*ETV6-NTRK3* 融合遺伝子がみられる。成人の線維肉腫と比べ予後良好である。化学療法の有効性，自然退縮例の報告もある[33]。

先天性間葉芽腎腫[25]は，生後3か月までの腎腫瘍で最多である。悪性度は低く予後良好とされる。まれに両側性に発生し，また高血圧や高カルシウム血症を認めることがある。

小児，特に3歳未満の乳幼児の高悪性度神経膠腫は，年長児や成人の高悪性度グリオーマに比べて生命予後が良く，年長児腫瘍に高頻度で認める H3.1 および H3.3 遺伝子変異や，若年成人腫瘍に高頻度で認める *IDH1，IDH2* 遺伝子変異を認めない。近年，*NTRK* 融合遺伝子が高頻度で非脳幹部の乳幼児脳腫瘍に認められることが報告されている[34,35]。

肺がんにおいては，7施設4872例の検討では，11例（0.23%）に *NTRK* 融合遺伝子が認められ，6例（55%）が男性，非/軽喫煙者は8例（73%），年齢中央値は47.6歳であった[36]。9例は腺癌であり，扁平上皮癌，神経内分泌癌でも検出された。

消化管間質腫瘍（GIST）では多くの場合 *KIT* ないし *PDGFRA* に活性型の遺伝子変異を認めるが，これらを認めない wild-type GIST が GIST 全体の約10%程度を占める。*NTRK* 融合遺伝子は wild-type GIST に認められる[37]。一方，最近では小規模研究ながら *NTRK* 融合遺伝子変異を有する消化管間葉系腫瘍は基本的に非 GIST であるという報告もある[38]。*NTRK* 融合遺伝子を認める間葉系腫瘍について WHO　Classification of Tumours Soft Tissue and Bone Tumours 第5版では，*NTRK*-rearranged spindle cell neoplasm（emerging）というカテゴリーを設けている[25]。

6.4　*NTRK* 融合遺伝子検査法

NTRK 融合遺伝子を検出する方法としては，NGS 法による検査，RT-PCR，FISH，IHC などがある[39-42]。

NGS 検査は，DNA ベースのものだけでなく，RNA ベースのものもあり，それぞれに利点と欠点がある。包括的なゲノムプロファイル検査として OncoGuide™ NCC オンコパネルシステム[43]，FoundationOne® CDx がんゲノムプロファイル[44]が薬事承認を得ている。また，先進医療としてこれらの他に，Oncomine™ Target Test，Todai OncoPanel，TruSight Oncology 500 などが実施されている[45]。これらの検査は腫瘍組織における遺伝子変化を検討するものであるが，血液中の遺伝子変化を検出する FoundationOne® Liquid CDx がんゲノムプロファイルが2021年3月に承認され[46]，使用可能となったリキッドバイオプシーには，検体の入手が容易であること，結果判明までの時間が短いことなどの利点がある。しかし *NTRK* 融合遺伝子の検出については，例えば FoundationOne® Liquid CDx がんゲノムプロファイルでは陽性一致率47.4%とされており[47]，もし臨床的に *NTRK* 融合遺伝子の存在が強く疑われる場合で，リキッドバイオプシーで *NTRK* 融合遺伝子陰性の場合には，他の方法で確認を行うことを考慮すべきである。DNA ベースの検査は通常 FFPE 検体から DNA を抽出し，Amplicon 法か，Targeted hybridization capture 法による検出が主流である。通常 *NTRK* 融合遺伝子のみならず他の遺伝子変化も同時に検討することができ，NGS 検査の利点の一つとなっている。既知の融合パートナーのみを検出するように設定されている検査では，未知のパートナーが偽陰性となること，繰り返し領域やイントロン全体のタイリングの

問題から（例えば，*NTRK3* のイントロン領域は長く 193 KB にもおよぶ），染色体転座，逆位の検出感度が低下する可能性が指摘されている。RNA ベースの検査法には，イントロンがスプライスされる利点がある。融合パートナーに関わらず *NTRK* 融合遺伝子を検出できるものもある。RNA は DNA より不安定であるため，検体の質にもより注意が必要である。

　NTRK 融合遺伝子では融合パートナーや切断点が多岐にわたることから，Reverse transcriptase polymerase chain reaction（RT-PCR）による *NTRK* 融合遺伝子の検討には限界がある。一部のがん種（乳腺分泌癌，唾液腺分泌癌，乳児型線維肉腫など）では，検出される融合遺伝子はほぼ *ETV6-NTRK3* 融合遺伝子に限定されており，このような場合には RT-PCR による検討も考慮されるが，もし臨床的に *NTRK* 融合遺伝子の存在が強く疑われる場合で，RT-PCR で *NTRK* 融合遺伝子陰性の場合には，他の方法で確認を行うことを考慮すべきである。最近では semi-specific RT-PCR により，融合パートナー不明の場合でも融合遺伝子を検出することも試みられている[48]。

　Fluorescence in situ hybridization（FISH）ではどのような融合遺伝子パートナーであっても簡便に融合遺伝子の存在が確認できるものの，*NTRK* 1～3 を検討するためには 3 回検討しなければならない。しかし *ETV6-NTRK3* 融合遺伝子が想定されるような場合（乳腺分泌癌，唾液腺分泌癌，乳児型線維肉腫など）については *NTRK3* を検討すればよいため 1 回で対応可能であり，FISH による検討も妥当である。FISH にもいくつかの限界があり，染色体内での再構成（特に *LMNA-NTRK1* など）の場合には，シグナルの判別が難しいことが知られており，偽陰性となる可能性がある[49]。

　Immunohistochemistry（IHC）は融合遺伝子そのものを検出するものではなく TRK タンパク発現を検出するものであるが，他の方法と比較して安価であることもあり，検討が進められている。カクテル抗体を用いた IHC による検討では，TRK タンパク発現がない場合には *NTRK* 融合遺伝子は認められなかったものの，偽陽性が多いことが報告されている[50]。現在最もよく検討されている IHC は，pan-TRK 抗体の clone EPR17341（Abcam，Roche/Ventana）である。多くの場合細胞質が陽性となるが，核（ETV6 など），細胞膜（TPM，TPR など）の染色も報告される。陽性のカットオフも定まっていないが，1％ないし 10％を陽性としている報告がみられる。報告にもよるが感度は 75％～96.7％，特異度は 92％～100％である[51-54]。しかし，*NTRK3* では感度が低下する報告もあり注意が必要である[55]。臨床的に *NTRK* 融合遺伝子の存在が強く疑われる場合で，IHC で TRK タンパク発現陰性の場合には，他の方法で確認を行うことを考慮すべきである。また，軟部肉腫や脳腫瘍，神経芽腫では *NTRK* 融合遺伝子を認めなくても TRK 発現が認められることが知られており，偽陽性となりやすいことが指摘されている[56]。

　その他の方法として，NanoString 社の遺伝子発現解析は，独自の分子蛍光バーコードを有する，標的分子の配列に特異的なプローブを，標的の核酸とハイブリダイズさせたのち，カートリッジの表面に固定し，各標的配列のカラーバーコードの並びを蛍光スキャナーによりデジタルカウントする方法で，FFPE 検体から調製した RNA サンプルでも良好なカウント結果が得られることが期待されている。*NTRK* 融合遺伝子の検出についてはまだ十分なデータがなく，今後の検討課題である。

6.5 TRK 阻害薬

TRK 阻害活性を有する薬剤の例を**表 6-5** に示す。

現在本邦で承認されているのは，エヌトレクチニブ，ラロトレクチニブである。エヌトレクチニブは，ROS1，TRK（および ALK）を阻害する経口チロシンキナーゼ阻害薬である。第Ⅰ相試験である ALKA-372-001，STARTRK-1 と第Ⅱ相試験である STARTRK-2 の統合解析結果が報告されており[57]，軟部肉腫，非小細胞肺がん，唾液腺分泌がんなど54例に対して，奏効割合57.4%であった（**図 6-1**）[58]。主な有害事象は味覚障害（47.1%），便秘（27.9%），疲労（27.9%），下痢（26.5%），末梢性浮腫（23.5%），めまい（23.5%），クレアチニン上昇（17.6%）などであった（**表 6-6**）[58]。また，小児・若年を中心に行われた STARTRK-NG 試験でも，中枢神経系腫瘍を含め有効性が報告されている。

エヌトレクチニブは，*NTRK* 融合遺伝子陽性の固形がんに対し，2017 年 5 月 Breakthrough Therapy に指定され 2019 年 8 月に FDA 承認，2017 年 10 月 EMA より PRIME（PRIority MEdicines）に指定され 2020 年 7 月に承認，本邦でも 2018 年 3 月に先駆け審査指定制度の対象品目として指定され，2019 年 6 月 18 日に *NTRK* 融合遺伝子陽性の進行・再発の固形がんに対して薬事承認された。エヌトレクチニブの前治療の数別の奏効割合を**表 6-7** に示す。前治療の数が 5 以上である 1 例を除き，いずれの前治療数においても奏効例が認められている。

ラロトレクチニブは TRK を選択的に阻害する経口チロシンキナーゼ阻害薬である。*NTRK* 遺伝子融合を認める患者を対象とした成人の第Ⅰ相試験 20288 試験，小児の第Ⅰ/Ⅱ相試験 SCOUT 試験，第Ⅱ相試験 NAVIGATE 試験をまとめた結果が報告されている[59]。唾液腺腫瘍，軟部肉腫，甲状腺がんなどが主に含まれ，統合解析されたうち 159 例の結果では，奏効割合79%であった（**図 6-2**）。主な有害事象は疲労，悪心，めまい，嘔吐，AST 増加，咳嗽などであった（**表 6-8**）[60]。ラロトレクチニブは 2018 年 11 月 26 日に FDA が，2019 年 9 月 EMA が承認し，本邦でも 2021 年 3 月 23 日に承認された。

TRK 阻害薬が *NTRK* 融合遺伝子を有する固形がんに対して有効性を示し承認されているが，*NTRK* 遺伝子のその他の異常（遺伝子変異，遺伝子増幅など）に対しての効果は確立されていない。*NTRK* 融合遺伝子を認めず，*NTRK* 遺伝子増幅を含む遺伝子変化を有する食道がん症例にラロトレクチニブが奏効した症例報告もあるものの[61]，*NTRK* 遺伝子増幅に対して TRK 阻害薬がどの程度有効性を示すかは確立されておらず，現時点では臨床試験以外での使用は勧められない。

エヌトレクチニブやラロトレクチニブなどの TRK 阻害薬の耐性機序については完全には解明されていないものの，一部の *NTRK* 遺伝子変異が存在するとこれらの TRK 阻害薬に耐性となることが報告されている。代表的なものは，*NTRK1* の p.G667C や p.G595R，*NTRK3* の p.G623R，p.G696A，p.F617L などである[62-64]。

次世代の TRK 阻害薬の開発も行われている。例えば Selitrectinib（LOXO-195，BAY2731954）は選択的な TRK 阻害薬であり，上記のキナーゼドメインの *NTRK* 遺伝子変異があっても有効であることが報告されており，現在臨床試験が進行中である[65]。Repotrectinib（TPX-0005）は *NTRK* 遺伝子変化だけでなく，*ROS1* 遺伝子変化や *ALK* 遺伝子変化に対しても有効性が報告されており，FDA の breakthrough designation に指定されている[66]。

表 6-5　TRK 阻害薬

薬剤名（企業）	IC$_{50}$（nM）			他のターゲット（IC$_{50}$＜500 nM）
	TRKA	TRKB	TRKC	
エヌトレクチニブ（RXDX-101；Ignyta/Nerviano）[15]	1.7	0.1	0.1	ALK, ROS1
ラロトレクチニブ（LOXO-101；Loxo Oncology）[16]	11.5	5.3	6.4	－
Cabozantinib（XL-184；Exelixis）[67]	NA	7	NA	ALK, AXL, BLK, BTK, EPHA4, EPHB4, FAK, FLT1, FLT3, FLT4, FYN, KDR, KIT, LYN, MAP2K1, MET, PDGFRB, RAF1, RET, RON SAPK4, TIE2, YES,
Crizotinib（PF-02341066；Pfizer）[68]	1	1	NA	ABL, ALK, ARG, AXL, FES, LCK, LYN, MER, MET, RON, ROS1, SKY, TIE2, YES
Midostaurin（PKC-412；Novartis）[69]	11	51	15	AURKA, BRSK1, CSF1R, FLT3, MAP3K9, PDGFRA, PDGFRB, PHKG1, PKN1, PRKCA, PRKCB2, RPS6KA1, RPS6KA2, RPS6KA3, STK4, SYK, TBK1
Nintedanib（BIBF-1120；Boehringer Ingelheim）[70]	17.1	263.9	142.5	FGFR, FLT3, LCK, LYN, PDGFR, SRC, VEGFR
Regorafenib（BAY 73-4506；Bayer/Onyx）[71]	74	NA	NA	ABL, DDR2, EPHA2, FGFR1, FGFR2, FLT1, FLT3, HCK, KDR, KIT, LYN, MER, PDGFRA, PTK5, RAF1, RET, SAPK2A, SAPK2B, TIE2
Altiratinib（Deciphera Pharmaceuticals）[72]	0.9	4.6	0.8	MET, TIE2 VEGFR2
Belizatinib（TSR-011；Tesaro）[73]	＜3	＜3	＜3	ALK
BMS-754807（Bristol-Myers Squibb）[74]	7	4	NA	AURKA, AURKB, FLT3, IGF1R, INSR, MET, RON
BMS-777607（Bristol-Myers Squibb）[75]	290	190	NA	AURKB, AXL, FLT3, KDR, LCK, MER, MET, RON, TYRO3
Danusertib（Nerviano）[76]	31	NA	NA	ABL, AURKA, AURKB, AURKC, FGFR1, RET
DS-6051b（Daiichi Sankyo）[77]	＜2	＜2	＜2	ALK, ROS1
ENMD-2076（CASI）[78]	24	NA	NA	ABL1, AURKA, AURKB, BLK, CSF1R, FAK, FGFR1, FGFR2, FLT3, FLT4, FYN, JAK2, KDR, KIT, LCK, PDGFRA, RET, SRC, YES1
Lestaurtinib（CEP-701；Cephalon/Kyowa）[79,80]	25	25	25	FLT3, JAK2
Selitrectinib（LOXO-195；Loxo Oncology）[64]	4	2	1	－
Merestinib（LY2801653；Eli Lilly）[81,82]	15-320	15-320	15-320	AXL, DDR1, DDR2, FLT3, MET, MERTK, MKNK1, MKNK2, MST1R, ROS1, TEK
MK-5108（Merck/Vertex）[83]	2	13	NA	ABL, AURKA, AURKB, AURKC, AXL, BRK, EPHA1, EPHA2, FLT1, FLT4, GSK3A, JNK3, KDR, LOK, MER, PTK5, ROS, TIE2, YES
Milciclib（PHA-848125；Nerviano/Tiziana）[84]	53	NA	NA	CDK1/cyclin B, CDK2/cyclin A, CDK2/cyclin E, CDK4/cyclin D1, CDK5/p35, CDK7/cyclin H
PLX-7486（Plexxikon）[85]	＜10	＜10	＜10	AURKA, AURKB, CSF1R, MAP3K2, MAP3K3
Sitravatinib（MGCD516；Mirati Therapeutics）[86]	5	9	NA	RET, CBL, CHR4q12, DDR, AXL, DDR1, DDR2, EPHA2, EPHA3, EPHA4, EPHB2, EPvHB4, FLT1, FLT3, FLT4, KDR, KIT, MER, MET, PDGFRA, RET, RON, ROS, SRC

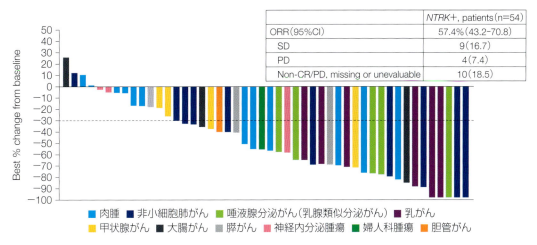

図 6-1　エヌトレクチニブによる腫瘍縮小[58]

表 6-6　エヌトレクチニブの有害事象（68 例）[58]

10%以上の患者でみられた治療関連有害事象	NTRK 融合遺伝子陽性安全性対象集団（68 例）	
患者数（%）	Grade 1/2	Grade 3
味覚異常	32（47.1）	0
便秘	19（27.9）	0
疲労	19（27.9）	5（7.4）
下痢	18（26.5）	1（1.5）
末梢性浮腫	16（23.5）	1（1.5）
浮動性めまい	16（23.5）	1（1.5）
クレアチニン増加	12（17.6）	1（1.5）
錯感覚	11（16.2）	0
悪心	10（14.7）	0
嘔吐	9（13.2）	0
関節痛	8（11.8）	0
筋肉痛	8（11.8）	0
体重増加	8（11.8）	7（10.3）
AST 増加	7（10.3）	0
全身筋力低下	6（8.8）	1（1.5）
貧血	5（7.4）	8（11.8）

表6-7 エヌトレクチニブの前治療の数別の奏効割合（ロズリートレク承認時評価資料より作成）

前治療の数	例数	奏効例数	奏効率（％）	（95％信頼区間）
0	20	13	65.0	(40.78-84.61)
1	11	5	45.5	(16.75-76.62)
2	14	9	64.3	(35.14-87.24)
3	4	1	25.0	(0.63-80.59)
4	4	3	75.0	(19.41-99.37)
＞4	1	0	0	(0.00-97.50)
全体	54	31	57.4	(43.21-70.77)

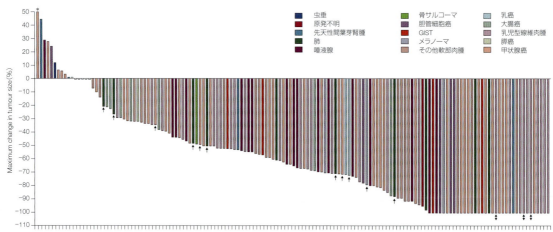

図6-2 ラロトレクチニブによる腫瘍縮小[59]

表6-8 ラロトレクチニブの有害事象（159例）[60]

有害事象	Grade 1	Grade 2	Grade 3	Grade 4	Total
疲労	18	15	3	—	36
浮動性めまい	25	3	1	—	29
悪心	24	3	1	—	29
便秘	22	5	＜1	—	27
貧血	10	7	10	—	27
ALT増加	17	5	3	＜1	26
AST増加	18	5	3	—	26
咳嗽	23	3	＜1	—	26
下痢	16	6	1	—	23
嘔吐	17	6	＜1	—	23
発熱	12	5	＜1	＜1	18
呼吸困難	10	6	2	—	18

（次頁へ続く）

表 6-8 つづき

有害事象	Grade 1	Grade 2	Grade 3	Grade 4	Total
頭痛	13	4	—	—	16
筋肉痛	12	3	1	—	16
末梢性浮腫	12	4	—	—	15

治療に伴う有害事象（%）

7 クリニカルクエスチョン（CQ）

CQ3 NTRK 融合遺伝子検査の対象

　　PubMed で "NTRK or neurotrophic tropomyosin receptor kinase", "neoplasm", "tested or diagnos*or detect*" のキーワードで検索した。Cochrane Library も同等のキーワードで検索した。検索期間は 1980 年 1 月～2019 年 8 月とし，PubMed から 70 編，Cochrane Library から 1 編が抽出され，それ以外にハンドサーチで 4 編が追加された。ガイドライン改訂にあたり，上記キーワードで 2019 年 9 月～2021 年 1 月までの期間の検索を追加し，PubMed から 133 編，Cochrane Library から 1 編が追加で抽出された。一次スクリーニングで 144 編の論文が抽出され，二次スクリーニングで 77 編が抽出され，これらを対象に定性的システマチックレビューを行った。

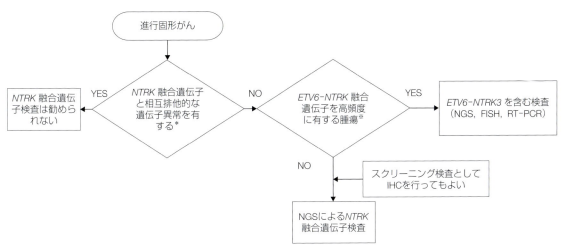

図 7-1　NTRK 融合遺伝子検査と TRK 治療薬
※唾液腺分泌がん（乳腺類似分泌がん），乳腺分泌がん，乳児型線維肉腫（先天性線維肉腫），先天性間葉芽腎腫など
*CQ3-1 を参照。
注：現時点では最適な TRK 免疫染色の抗体は明確ではない。
注：本邦におけるエヌトレクチニブ，ラロトレクチニブの使用に当たっては，「十分な経験を有する病理医又は検査施設における検査により，NTRK 融合遺伝子陽性が確認された患者に投与すること。検査にあたっては，承認された体外診断用医薬品又は医療機器を用いること。なお，承認された体外診断用医薬品又は医療機器に関する情報については，以下のウェブサイトから入手可能である：
https://www.pmda.go.jp/review-services/drug-reviews/review-information/cd/0001.html」とされている。

CQ3-1 局所進行または転移性固形がん患者
転移・再発固形がん患者に対して *NTRK* 融合遺伝子検査は勧められるか？

1. *NTRK* 融合遺伝子と相互排他的な遺伝子異常を有する固形がん患者では，*NTRK* 融合遺伝子検査を推奨しない。
推奨度 Not recommended ［SR：0, R：0, ECO：4, NR：16］

2. *NTRK* 融合遺伝子が高頻度に検出されることが知られているがん種では，*ETV6-NTRK3* 融合遺伝子を検出できる検査を強く推奨する。
推奨度 Strong Recommendation ［SR：17, R：3, ECO：0, NR：0］

3. 上記以外の全ての転移・再発固形がん患者で，TRK 阻害薬の適応を判断するために *NTRK* 融合遺伝子検査を行うことを推奨する。
推奨度 Recommendation ［SR：6, R：14, ECO：0, NR：0］

　TRK 阻害薬であるエヌトレクチニブ，ラロトレクチニブは，切除不能あるいは転移性の固形がんに対して，治療ラインを問わずに試験が行われ，高い有効性が示されている。*NTRK* 融合遺伝子の頻度は低いもののがん種を問わずに認められており，また臨床背景で *NTRK* 融合遺伝子の有無を判断できるような確実な指標は確立されていないことから，TRK 阻害薬の適応を判断するためには，*NTRK* 融合遺伝子が報告されている全ての転移・再発固形がんにおいて検査を行うことを強く推奨する[87]。また，唾液腺分泌がん（乳腺類似分泌がん），乳腺分泌がん，乳児型線維肉腫（先天性線維肉腫），先天性間葉芽腎腫などでは，*ETV6-NTRK3* 融合遺伝子を高頻度に認めることから（「6.3 *NTRK* 融合遺伝子のがん種別頻度」参照），これらの疾患においても *NTRK* 融合遺伝子の検査を行うことを強く推奨する。なお *NTRK* 融合遺伝子は他のドライバー変異とは相互排他的であることから，相互排他的な mitogenic pathway（成長因子受容体，RAS，MAPK pathway をコードする遺伝子群）の遺伝子異常（非小細胞肺がんにおける *EGFR* 遺伝子変異，*ALK* 融合遺伝子，*ROS1* 融合遺伝子，悪性黒色腫や結腸直腸がんにおける *RAF* 遺伝子変異，GIST における *KIT* 遺伝子変異など）が検出された場合には[55]，*NTRK* 融合遺伝子を検索する必要はない。

　また検査の実施にあたっては，費用面・頻度面等についても考慮し，担当医・患者で十分話し合うことが重要である。

　NTRK 融合遺伝子の検査について，承認された体外診断用医薬品又は医療機器に関する情報については，以下のウェブサイトから入手可能である：

　https://www.pmda.go.jp/review-services/drug-reviews/review-information/cd/0001.html

> **CQ3-2** 早期固形がん患者に対して *NTRK* 融合遺伝子検査は勧められるか？

1. *NTRK* 融合遺伝子が高頻度に検出されることが知られているがん種では，根治治療可能な固形がん患者に対しても，*NTRK* 融合遺伝子の検査を推奨する。

推奨度 Recommendation ［SR：2, R：12, ECO：6, NR：0］

2. 上記以外の全ての早期固形がん患者で，TRK 阻害薬の適応を判断するために *NTRK* 融合遺伝子検査を行うことを考慮する。

推奨度 Expert consensus opinion ［SR：0, R：0, ECO：19, NR：1］

　現在のところ，*NTRK* 融合遺伝子を有する固形がん患者に対する，TRK 阻害薬の術前/術後療法としての意義は確立されていないが，ラロトレクチニブの小児を対象とした第 I 相試験では，5 例が薬剤投与後に腫瘍縮小（partial response）が得られ，引き続いて切除が行われている[88]。うち 3 例では完全切除がなされた。また，*NTRK* 融合遺伝子を有する転移・再発固形がんにおいて TRK 阻害薬は高い奏効割合が報告されていることから，*NTRK* 融合遺伝子が高頻度（**表 6-4** における比較的高頻度を含む）に検出されることが知られているがん種では，局所進行例であっても *NTRK* 融合遺伝子の検査を推奨する。上記以外の根治切除可能な固形がんに対しても術前治療を念頭に *NTRK* 融合遺伝子の検査を検討してもよい。特に小児領域のように，根治可能な治療があってもエビデンスの不足により標準治療には至っていない場合や，標準治療の効果が不十分と予測される場合などは TRK 阻害薬の使用が検討されるため，*NTRK* 融合遺伝子の検査が考慮される。

> **CQ3-3** *NTRK* 融合遺伝子の検査はいつ行うべきか？

標準治療開始前あるいは標準治療中から *NTRK* 融合遺伝子の検査を行うことを強く推奨する。

推奨度 Strong Recommendation ［SR：13, R：5, ECO：2, NR：0］

　現時点では，*NTRK* 融合遺伝子を有する転移・再発固形がんに対して，標準治療と TRK 阻害薬のいずれが優れているかを検討した報告はない。ある試算では，PFS の 30% の改善をランダム化比較試験で検討すると 2,696 か月が必要となり（$\alpha = 0.05$, $\beta = 0.2$, 1：1 割付で設定）[89]，比較試験の実施は現実的ではない。TRK 阻害薬の有効性は，1st line から示されており，高い奏効割合が報告されている。疾患が進行し，TRK 阻害薬の対象となるべき患者において治療機会の逸失を防ぐためにも，*NTRK* 融合遺伝子の検査は標準治療開始前あるいは標準治療中に行うことを強く推奨する。

CQ4 | *NTRK* 融合遺伝子の検査法

　PubMed で "NTRK or neurotrophic tropomyosin receptor kinase","neoplasm","NGS","In

Ⅲ　*NTRK*（*neurotrophic receptor tyrosine kinase*）　51

Situ Hybridization", "IHX", "NanoString", "Polymerase Chain Reaction" のキーワードで検索した。Cochrane Library も同等のキーワードで検索した。検索期間は 1980 年 1 月〜2019 年 8 月とし，PubMed から 129 編，Cochrane Library から 5 編が抽出され，それ以外にハンドサーチで 1 編が追加された。ガイドライン改訂にあたり，上記キーワードで 2019 年 9 月〜2021 年 1 月までの期間の検索を追加し，PubMed から 124 編，Cochrane Library から 1 編が追加で抽出された。一次スクリーニングで 43 編の論文が抽出され，二次スクリーニングで 34 編が抽出され，これらを対象に定性的システマチックレビューを行った。

CQ4-1 TRK 阻害薬の適応を判断するために，NGS 検査は勧められるか？

TRK 阻害薬の適応を判断するために，分析学的妥当性が確立された NGS 検査を強く推奨する。

推奨度 Strong Recommendation ［SR：19, R：1, ECO：0, NR：0］

エヌトレクチニブ，ラロトレクチニブの開発に際しては，TRK 阻害薬の適応を判断するために NGS，FISH，RT-PCR など様々な方法が用いられてきた。報告されている *NTRK* 融合遺伝子は，*NTRK1〜3* にまたがり，融合パートナーも多岐にわたるため，*NTRK1〜3* いずれの融合遺伝子も検出できる NGS 検査が勧められる。33,997 例を対象に，RNA ベースのパネル検査（MSK-Fusion）をコントロールとした研究では，DNA ベースのパネルシーケンスでは感度 81.1％，特異度 99.9％，IHC（clone EPR17341）では感度 87.9％，特異度 81.1％と報告されている[55]。この報告では肉腫での感度・特異度が良好ではなく，RNA ベースのパネル検査が勧められた。リキッドバイオプシーも承認されているが，*NTRK* 融合遺伝子の陽性的中率については必ずしも高くないものもあり，検体の種類，使用する遺伝子検査パネルが *NTRK* 融合遺伝子をどの程度検出可能であるのかを確認する必要がある。NGS 検査には，既知の融合パートナーのみを検出できるもの，融合パートナーに関わらず検出できるものがある。分析学的妥当性が確立された検査（例えば，承認された体外診断用医薬品又は医療機器など）を推奨する。日常臨床においては FFPE 検体を使用することが想定されるが，検体の固定，保存から DNA，RNA の抽出の過程については，別途定められた指針（ゲノム研究用・診療用病理組織検体取扱い規程　一般社団法人日本病理学会/編）に準拠することを推奨する。

NTRK 融合遺伝子の検出については，エヌトレクチニブでは，FoundationOne® CDx がんゲノムプロファイル，FoundationOne® Liquid CDx がんゲノムプロファイルが，ラロトレクチニブでは FoundationOne® CDx がんゲノムプロファイルがコンパニオン診断薬として承認されており，*NTRK1* 融合遺伝子，*NTRK2* 融合遺伝子，*NTRK3* 融合遺伝子が検出可能であるが，*NTRK3* についてはイントロン領域を検出対象としていないことに注意が必要である。

NTRK 融合遺伝子の検出については，コンパニオン診断として行われる場合も，包括的ながんゲノムプロファイル検査の一環として行われる場合も，分析学的妥当性が確立された検査が推奨される。後者では *NTRK* 融合遺伝子以外の検討もなされることから，がんゲノム

プロファイル検査を行う場合，「がんゲノム医療中核拠点病院等の整備に関する指針」（令和元年7月19日一部改正）や関連する各学会のガイドラインを参照の上行うことが求められる。

CQ4-2 *NTRK* 融合遺伝子を検出するために，FISH，RT-PCR は勧められるか？

1. *NTRK* 融合遺伝子のスクリーニング検査法として FISH を推奨しない。
推奨度 Not Recommended ［SR：0，R：0，ECO：2，NR：18］

2. *NTRK* 融合遺伝子のスクリーニング検査法として RT-PCR を推奨しない。
推奨度 Not Recommended ［SR：0，R：1，ECO：5，NR：14］

3. *NTRK* 融合遺伝子が高頻度に検出されることが知られているがん種では，FISH あるいは RT-PCR による *NTRK* 融合遺伝子（特に *ETV6-NTRK3* 融合遺伝子）検査を行ってもよい。
推奨度 Expert consensus opinion ［SR：0，R：8，ECO：12，NR：0］

陰性の場合は別の検査で確認することが推奨される。
推奨度 Recommended ［SR：7，R：8，ECO：5，NR：0］

　NTRK 融合遺伝子は，*NTRK1〜3* にまたがって幅広く認められるため，FISH や PCR での検出には限界がある。FISH では *NTRK1〜3* の break apart プローブなどが報告されており，スクリーニングで3つの FISH を行う必要がある。また，*NTRK1* 融合遺伝子などで認められるクロモゾーム内での再構成については偽陰性の可能性があることに注意が必要である。PCR 法を用いる方法では，FFPE での RNA 保持に問題があることやパートナー遺伝子の範囲がわかっていないため，どの程度の検出精度が担保できるか判断できないため推奨できない。しかしながら，これらの問題を解決できる単遺伝子検査が出てきた場合は再検討が必要である。なお，アンプリコンシーケンスは PCR 法と同じ原理であるが，他の遺伝子変異も検出可能であることや上記検出精度が明確であるため，NGS 法に含めて議論する。

　唾液腺分泌がん（乳腺類似分泌がん），乳腺分泌がん，乳児型線維肉腫（先天性線維肉腫），先天性間葉芽腎腫などでは，認められる融合遺伝子はほぼ *ETV6-NTRK3* 融合遺伝子であるため，FISH や PCR での検査を考慮してもよい。ただし陰性の場合は別の検査法での確認が推奨される。

　最後に，別の融合遺伝子での報告で，IHC，FISH，NGS いずれの検査法においても検出できない場合があることが知られている[90]。それゆえ，個々の検査法の偽陽性，偽陰性などにも注意するとともに，臨床担当医と病理診断医の綿密な連携も重要である[91]。特に *NTRK* 融合遺伝子が高頻度に検出されることが知られているがん種では，*NTRK* 融合遺伝子が検出されなかった場合については，別の検査法により確認することが望ましい。

Ⅲ　*NTRK*（*neurotrophic receptor tyrosine kinase*）　53

| CQ4-3 | *NTRK* 融合遺伝子を検出するために，IHC は勧められるか？ |

1. *NTRK* 融合遺伝子のスクリーニング検査として IHC を考慮する。

推奨度 Expert consensus opinion ［SR：0, R：11, ECO：8, NR：1］

2. TRK 阻害薬の適応を判断するためには IHC を推奨しない。

推奨度 No Recommendation ［SR：0, R：0, ECO：0, NR：20］

　IHC 法は TRK タンパクを検出する方法である。IHC 陽性であっても *NTRK* 融合遺伝子を認めるわけではないため，TRK 阻害薬の適応を判断するための検査として IHC 法は推奨されない。しかし，カクテル抗体を用いた検討では IHC 陰性の場合 *NTRK* 融合遺伝子を認めなかった報告があることから，IHC 陰性の場合には NGS 検査等を省略できる可能性があり，スクリーニング検査としての有効性が期待される。広く検討されているのは pan-TRK 抗体の clone EPR17341（Abcam, Roche/Ventana）であり，感度 75％〜96.7％，特異度 92％〜100％と報告されている。ただし *NTRK3* では感度が低下するため注意が必要である。IHC検査は用いる抗体によって感度・特異度に差があること，軟部肉腫，脳腫瘍，神経芽腫などでは TRK タンパクの発現を認めるために偽陽性も報告されていること，判定基準も十分確立されていないことから，結果の解釈に十分注意する必要がある。しかしながら，検査結果を迅速に得られること，安価であることもあり，今後の開発が期待される。

CQ5 | *NTRK* 融合遺伝子に対する治療

　PubMed で "NTRK or neurotrophic tropomyosin receptor kinase"，"neoplasm"，"treatment"，"TRK inhibitor" のキーワードで検索した。Cochrane Library も同等のキーワードで検索した。検索期間は1980年1月〜2019年8月とし，PubMedから132編，Cochrane Libraryから6編が抽出され，それ以外にハンドサーチで2編が追加された。ガイドライン改訂にあたり，上記キーワードで2019年9月〜2021年1月までの期間の検索を追加し，PubMedから180編，Cochrane Libraryから1編が追加で抽出された。一次スクリーニングで88編の論文が抽出され，二次スクリーニングで43編が抽出され，これらを対象に定性的システマチックレビューを行った。

| CQ5-1 | *NTRK* 融合遺伝子を有する切除不能・転移・再発固形がんに対して TRK 阻害薬は勧められるか？ |

TRK 阻害薬の使用を強く推奨する。

推奨度 Strong Recommendation ［SR：20, R：0, ECO：0, NR：0］

　NTRK 融合遺伝子を有する固形がんに対して，TRK 阻害薬のエヌトレクチニブ，ラロトレクチニブの有効性が示されている。TRK 阻害薬と他の薬剤の比較試験はないが，ある試算

では，PFS の 30% の改善をランダム化比較試験で検討すると 2,696 か月が必要となり（$\alpha =$ 0.05，$\beta = 0.2$，1：1 割付で設定）[88]，比較試験の実施は現実的ではない。TRK 阻害薬の奏効割合は高く，有害事象は軽微であり，害と益のバランスは益が大きく勝っていると考えられる。患者の嗜好にもばらつきはないと考えられる。以上から，*NTRK* 融合遺伝子を有する固形がんに対して，TRK 阻害薬の使用を強く推奨する。

なお，当該がん種において標準的治療がある場合，いずれの治療を行うかについて，それぞれの治療の期待される効果，予測される有害事象，晩期毒性なども踏まえ個々の症例で治療について検討すべきである。

CQ5-2　TRK 阻害薬はいつ使用すべきか？

初回治療から TRK 阻害薬の使用を推奨する。

推奨度 Recommendation ［SR：7，R：11，ECO：2，NR：0］

エヌトレクチニブの有効性は初回治療例から認められる。TRK 阻害薬と他の薬剤の直接の比較試験はないが，TRK 阻害薬の奏効割合は高く，TRK 阻害薬の有害事象は軽微であり，害と益のバランスは益が大きく勝っていると考えられることから，初回治療から TRK 阻害薬の使用を推奨する。標準治療のない希少疾患についても同様である。

なお，当該がん種において標準的治療がある場合，いずれの治療を行うかについて，患者背景，それぞれの治療の期待される効果，予測される有害事象，晩期毒性なども踏まえ個々の症例で治療について検討すべきである。乳児線維肉腫においては，TRK 阻害薬の長期的な影響が定まっていないことから，初回治療における TRK 阻害薬の使用についてはコンセンサスが得られていない[92]。

参考文献

1）Pulciani S, Santos E, Lauver AV et al. Oncogenes in solid human tumours. Nature. 1982；300（5892）：539-542.

2）Klein R, Jing SQ, Nanduri V et al. The trk proto-oncogene encodes a receptor for nerve growth factor. Cell. 1991；65（1）：189-197.

3）Kaplan DR, Hempstead BL, Martin-Zanca D et al. The trk proto-oncogene product：a signal transducing receptor for nerve growth factor. Science. 1991；252（5005）：554-558.

4）Amatu A, Sartore-Bianchi A, Siena S. NTRK gene fusions as novel targets of cancer therapy across multiple tumour types. ESMO Open. 2016；1（2）：e000023.

5）Okamura R, Boichard A, Kato S et al. Analysis of NTRK Alterations in Pan-Cancer Adult and Pediatric Malignancies：Implications for NTRK-Targeted Therapeutics. JCO Precis Oncol. 2018；2018：PO.18.00183.

6）Cocco E, Scaltriti M, Drilon A. NTRK fusion-positive cancers and TRK inhibitor therapy. Nat Rev Clin Oncol. 2018；15（12）：731-747.

7）Tacconelli A, Farina A R, Cappabianca L et al. Alternative TrkAⅢ splicing：a potential regulated tumor- promoting switch and therapeutic target in neuroblastoma. Future Oncol. 2005；1（5）：689-698.

8）Reuther GW, Lambert QT, Caligiuri MA et al. Identification and characterization of an acti-

Ⅲ　*NTRK*（*neurotrophic receptor tyrosine kinase*）　55

vating TrkA deletion mutation in acute myeloid leukemia. Mol Cell Biol. 2000 ; 20 (23) : 8655-8666.

9) Nakagawara A, Arima-Nakagawara M, Scavarda NJ et al. Association between high levels of expression of the TRK gene and favorable outcome in human neuroblastoma. N Engl J Med. 1993 ; 328 (12) : 847-854.

10) Miranda C, Mazzoni M, Sensi M et al. Functional characterization of NTRK1 mutations identified in melanoma. Genes Chromosomes Cancer. 2014 ; 53 (10) : 875-880.

11) Geiger TR, Song JY, Rosado A et al. Functional characterization of human cancer-derived TRKB mutations. PLoS One. 2011 ; 6 (2) : e16871.

12) Harada T, Yatabe Y, Takeshita M et al. Role and relevance of TrkB mutations and expression in non-small cell lung cancer. Clin Cancer Res. 2011 ; 17 (9) : 2638-2645.

13) Vaishnavi A, Le AT, Doebele RC. TRKing down an old oncogene in a new era of targeted therapy. Cancer Discov. 2015 ; 5 (1) : 25-34.

14) https://www.pmda.go.jp/drugs/2021/P20210310002/navi.html

15) https://www.pmda.go.jp/drugs/2019/P20190716001/navi.html

16) https://www.accessdata.fda.gov/drugsatfda_docs/nda/2019/212725Orig1s000,%20 212726Orig1s000TOC.cfm

17) Forsythe A, Zhang W, Phillip Strauss U et al. A systematic review and meta-analysis of neurotrophic tyrosine receptor kinase gene fusion frequencies in solid tumors. Ther Adv Med Oncol. 2020 Dec 21 ; 12 : 1758835920975613.

18) Yoshino T, Pentheroudakis G, Mishima S et al. JSCO-ESMO-ASCO-JSMO-TOS : international expert consensus recommendations for tumour-agnostic treatments in patients with solid tumours with microsatellite instability or NTRK fusions. Ann Oncol. 2020 ; 31 (7) : 861-872.

19) Argani P, Fritsch M, Kadkol SS et al. Detection of the ETV6-NTRK3 chimeric RNA of infantile fibrosarcoma/cellular congenital mesoblastic nephroma in paraffin-embedded tissue : application to challenging pediatric renal stromal tumors. Mod Pathol. 2000 ; 13 (1) : 29-36. doi : 10.1038/modpathol.3880006. PMID : 10658907.

20) Vokuhl C, Nourkami-Tutdibi N, Furtwängler R et al. ETV6-NTRK3 in congenital mesoblastic nephroma : A report of the SIOP/GPOH nephroblastoma study. Pediatr Blood Cancer. 2018 ; 65 (4). doi : 10.1002/pbc.26925. Epub 2017 Dec 29. PMID : 29286563.

21) Skálová A, Vanecek T, Simpson RH et al. Mammary Analogue Secretory Carcinoma of Salivary Glands : Molecular Analysis of 25 ETV6 Gene Rearranged Tumors With Lack of Detection of Classical ETV6-NTRK3 Fusion Transcript by Standard RT-PCR : Report of 4 Cases Harboring ETV6-X Gene Fusion. Am J Surg Pathol. 2016 ; 40 (1) : 3-13.

22) Bishop JA, Yonescu R, Batista D et al. Utility of mammaglobin immunohistochemistry as a proxy marker for the ETV6-NTRK3 translocation in the diagnosis of salivary mammary analogue secretory carcinoma. Hum Pathol. 2013 ; 44 (10) : 1982-1988.

23) Del Castillo M, Chibon F, Arnould L et al. Secretory Breast Carcinoma : A Histopathologic and Genomic Spectrum Characterized by a Joint Specific ETV6-NTRK3 Gene Fusion. Am J Surg Pathol. 2015 ; 39 (11) : 1458-1467.

24) Makretsov N, He M, Hayes M et al. A fluorescence in situ hybridization study of ETV6-NTRK3 fusion gene in secretory breast carcinoma. Genes Chromosomes Cancer. 2004 ; 40 (2) : 152-157.

25) Tognon C, Knezevich SR, Huntsman D et al. Expression of the ETV6-NTRK3 gene fusion as a primary event in human secretory breast carcinoma. Cancer Cell. 2002 ; 2 (5) : 367-376.

26) Knezevich SR, McFadden DE, Tao W et al. A novel ETV6-NTRK3 gene fusion in congenital fibrosarcoma. Nat Genet. 1998 ; 18 (2) : 184-187.

27） Rubin BP, Chen CJ, Morgan TW et al. Congenital mesoblastic nephroma t（12：15）is associated with ETV6-NTRK3 gene fusion：cytogenetic and molecular relationship to congenital （infantile）fibrosarcoma. Am J Pathol. 1998；153（5）：1451-1458.

28） Orbach D, Brennan B, De Paoli A et al. Conservative strategy in infantile fibrosarcoma is possible：The European Paediatric Soft Tissue Sarcoma Study Group experience. Eur J Cancer. 2016；57：1-9.

29） Bourgeois JM, Knezevich SR, Mathers JA et al. Molecular detection of the ETV6-NTRK3 gene fusion differentiates congenital fibrosarcoma from other childhood spindle cell tumors. Am J Surg Pathol. 2000；24（7）：937-946.

30） Skálová A, Vanecek T, Sima R et al. Mammary analogue secretory carcinoma of salivary glands, containing the ETV6-NTRK3 fusion gene：a hitherto undescribed salivary gland tumor entity. Am J Surg Pathol. 2010；34（5）：599-608.

31） Sethi R, Kozin E, Remenschneider A et al. Mammary analogue secretory carcinoma：update on a new diagnosis of salivary gland malignancy. Laryngoscope. 2014；124（1）：188-195.

32） WHO Classification of Tumours of the Breast. WHO Classification of Tumours, 5th Edition, Volume 2 2019.

33） WHO Classification of Tumours of Soft Tissue and Bone Tumours. WHO Classification of Tumours, 5th Edition, Volume 3, 2020.

34） Wu G, Diaz AK, Paugh BS et al. The genomic landscape of diffuse intrinsic pontine glioma and pediatric non-brainstcm high-grade glioma. Nat Genet. 2014；46（5）：444-450.

35） Guerreiro Stucklin AS, Ryall S, Fukuoka K et al. Alterations in ALK/ROS1/NTRK/MET drive a group of infantile hemispheric gliomas. Nat Commun. 2019；10（1）：4343.

36） Farago AF, Taylor MS, Doebele RC et al. Clinicopathologic Features of Non-Small-Cell Lung Cancer Harboring an NTRK Gene Fusion. JCO Precis Oncol. 2018；Epub 2018 Jul 23.

37） Brenca M, Rossi S, Polano M et al. Transcriptome sequencing identifies ETV6-NTRK3 as a gene fusion involved in GIST. J Pathol. 2016；238（4）：543-549.

38） Atiq MA, Davis JL, Hornick JL et al. Mesenchymal tumors of the gastrointestinal tract with NTRK rearrangements：a clinicopathological, immunophenotypic, and molecular study of eight cases, emphasizing their distinction from gastrointestinal stromal tumor（GIST）. Mod Pathol. 2021；34：95-103.

39） Hechtman JF, Benayed R, Hyman DM et al. Pan-Trk Immunohistochemistry Is an Efficient and Reliable Screen for the Detection of NTRK Fusions. Am J Surg Pathol. 2017；41（11）：1547-1551.

40） Abel H, Pfeifer J, Duncavage E. Translocation detection using next-generation sequencing. In：Kulkarni S, Pfeifer J, eds. Clinical Genomics. Amsterdam, Netherlands：Elsevier/Academic Press；2015

41） Solomon JP, Benayed R, Hechtman JF et al. Identifying patients with NTRK fusion cancer. Ann Oncol. 2019；30 Suppl 8：viii16-viii22.

42） Weiss LM, Funari VA. NTRK fusions and Trk proteins：what are they and how to test for them. Hum Pathol. 2021；112：59-69.

43） Sunami K, Ichikawa H, Kubo T et al. Feasibility and utility of a panel testing for 114 cancer-associated genes in a clinical setting：A hospital-based study. Cancer Sci. 2019；110（4）：1480-1490.

44） FDA Approves Foundation Medicine's FoundationOne CDx™, the First and Only Comprehensive Genomic Profiling Test for All Solid Tumors Incorporating Multiple Companion Diagnostics. https://www.foundationmedicine.com/press-releases/f2b20698-10bd-4ac9-a5e5-c80c398a57b5

45） https://www.mhlw.go.jp/topics/bukyoku/isei/sensiniryo/kikan03.html

46) https://www.pmda.go.jp/PmdaSearch/kikiDetail/GeneralList/30300BZX00074000_1_01

47) https://www.pmda.go.jp/PmdaSearch/kikiDetail/ResultDataSetPDF/450045_30300 BZX00074000_1_01_03

48) https://nanoporetech.com/

49) Hsiao SJ, Zehir A, Sireci AN et al. Detection of tumor NTRK gene fusions to identify patients who may benefit from TRK inhibitor therapy. J Mol Diagn 2019 ; 21（4）: 553-571.

50) Murphy DA, Ely HA, Shoemaker R et al. Detecting Gene Rearrangements in Patient Populations Through a 2-Step Diagnostic Test Comprised of Rapid IHC Enrichment Followed by Sensitive Next-Generation Sequencing. Appl Immunohistochem Mol Morphol. 2017 ; 25（7）: 513-523.

51) Gatalica Z, Xiu J, Swensen J et al. Molecular characterization of cancers with NTRK gene fusions. Mod Pathol. 2019 ; 32（1）: 147-153.

52) Hechtman JF, Benayed R, Hyman DM et al. Pan-Trk immunohistochemistry is an efficient and reliable screen for the detection of NTRK fusions. Am J Surg Pathol. 2017 ; 41（11）: 1547-1551.

53) Rudzinski ER, Lockwood CM, Stohr BA et al. Pan-Trk immunohistochemistry identifies NTRK rearrangements in pediatric mesenchymal tumors. Am J Surg Pathol. 2018 ; 42（7）: 927-935.

54) Hung YP, Fletcher CDM, Hornick JL. Evaluation of pan-TRK immunohistochemistry in infantile fibrosarcoma, lipofibromatosis-like neural tumour and histological mimics. Histopathology. 2018 ; 73（4）: 634-644.

55) Solomon JP, Linkov I, Rosado A et al. NTRK fusion detection across multiple assays and 33, 997 cases : diagnostic implications and pitfalls. Mod Pathol. 2019 ; doi : 10.1038/s41379-019-0324-7.

56) Albert CM, Davis JL, Federman N et al. TRK Fusion Cancers in Children : A Clinical Review and Recommendations for Screening. J Clin Oncol. 2019 ; 37（6）: 513-524.

57) Doebele RC, Drilon A, Paz-Ares L et al ; trial investigators. Entrectinib in patients with advanced or metastatic NTRK fusion-positive solid tumours : integrated analysis of three phase 1-2 trials. Lancet Oncol. 2020 ; 21（2）: 271-282.

58) Demetri GD, Paz-Ares L, Farago AF et al. Efficacy and Safety of Entrectinib in Patients with NTRK Fusion-Positive (NTRK-fp) Tumors : Pooled Analysis of STARTRK-2, STARTRK-1 and ALKA-372-001. Ann Oncol. 2018 ; 29（supple_8）: abstr LBA17.

59) Hong DS, DuBois SG, Kummar S et al. Larotrectinib in patients with TRK fusion-positive solid tumours : a pooled analysis of three phase 1/2 clinical trials. Lancet Oncol. 2020 ; 21（4）: 531-540.

60) Lassen UN, Albert CM, Kummar S et al. Larotrectinib efficacy and safety in TRK fusion cancer : an expanded clinical dataset showing consistency in an age and tumor agnostic approach. Ann Oncol. 2018 ; 29（supple_8）: 409O.

61) Hempel D, Wieland T, Solfrank B et al. Antitumor Activity of Larotrectinib in Esophageal Carcinoma with NTRK Gene Amplification. Oncologist. 2020 ; 25（6）: e881-e886.

62) Drilon A, Laetsch TW, Kummar S et al. Efficacy of larotrectinib in TRK fusion-positive cancers in adults and children. N Engl J Med. 2018 ; 378（8）: 731-739.

63) Russo M, Misale S, Wei G et al. Acquired resistance to the TRK inhibitor entrectinib in colorectal cancer. Cancer Discov 2016 ; 6（1）: 36-44.

64) https://dailymed.nlm.nih.gov/dailymed/drugInfo.cfm?setid=9525f887-a055-4e33-8e92-898d42828cd1

65) Drilon A, Nagasubramanian R, Blake JF et al. A next-generation TRK kinase inhibitor overcomes acquired resistance to prior TRK kinase inhibition in patients with TRK fusion-posi-

tive solid tumors. Cancer Discov. 2017 ; 7 (9) : 963-972.

66) Drilon A, Ou SI, Cho BC et al. Repotrectinib (TPX-0005) Is a next-generation ROS1/TRK/ALK inhibitor that potently inhibits ROS1/TRK/ALK solvent-front mutations. Cancer Discov. 2018 ; 8 (10) : 1227-1236.

67) US Food and Drug Administration : Cabozantinib (S)-malate : Pharmacology review. https://www.accessdata.fda.gov/drugsatfda_docs/nda/2012/203756Orig1s000PharmR.pdf

68) US Food and Drug Administration : Crizotinib : Pharmacology review. https://www.accessdata.fda.gov/drugsatfda_docs/nda/2011/202570Orig1s000PharmR.pdf

69) US Food and Drug Administration : Midostaurin : Pharmacology review. https://www.accessdata.fda.gov/drugsatfda_docs/nda/2017/207997Orig1Orig2s000PharmR.pdf

70) Hilberg F, Roth GJ, Krssak M, et al : BIBF 1120 : Triple angiokinase inhibitor with sustained receptor blockade and good antitumor efficacy. Cancer Res. 2008 ; 68 : 4774-4782.

71) US Food and Drug Administration : Regorafenib : Pharmacology review. https://www.accessdata.fda.gov/drugsatfda_docs/nda/2012/203085Orig1s000PharmR.pdf

72) Smith BD, Kaufman MD, Leary CB et al. Altiratinib inhibits tumor growth, invasion, angiogenesis, and microenvironment-mediated drug resistance via balanced inhibition of MET, TIE2, and VEGFR2. Mol Cancer Ther. 2015 ; 14 : 2023-2034.

73) Weiss GJ, Sachdev JC, Infante JR et al : Phase (Ph) 1/2 study of TSR-011, a potent inhibitor of ALK and TRK, including crizotinib-resistant ALK mutations. J Clin Oncol. 2014 ; 32 (15_suppl) : abstr e19005.

74) Carboni JM, Wittman M, Yang Z et al. BMS-754807, a small molecule inhibitor of insulin-like growth factor-1R/IR. Mol Cancer Ther. 2009 ; 8 : 3341-3349.

75) Schroeder GM, An Y, Cai ZW et al. Discovery of N-(4-(2-amino-3-chloropyridin-4-yloxy)-3-f luorophenyl)-4-ethoxy-1-(4-f luorophenyl)-2-oxo-1,2-dihydropyridine-3-carboxamide (BMS-777607), a selective and orally efficacious inhibitor of the Met kinase superfamily. J Med Chem. 2009 ; 52 : 1251-1254.

76) Carpinelli P, Ceruti R, Giorgini ML et al. PHA-739358, a potent inhibitor of Aurora kinases with a selective target inhibition profile relevant to cancer. Mol Cancer Ther 2007 ; 6 : 3158-3168.

77) Kiga M, Iwasaki S, Togashi N et al. Preclinical characterization and antitumor efficacy of DS-6051b, a novel, orally available small molecule tyrosine kinase inhibitor of ROS1 and NTRKs. Eur J Cancer. 2016 ; 69 (1) : S35-S36.

78) Fletcher GC, Brokx RD, Denny TA, et al. ENMD-2076 is an orally active kinase inhibitor with antiangiogenic and antiproliferative mechanisms of action. Mol Cancer Ther. 2011 ; 10 (1) : 126-137.

79) Shabbir M, Stuart R. Lestaurtinib, a multitargeted tyrosine kinase inhibitor : From bench to bedside. Expert Opin Investig Drugs. 2010 ; 19 (3) : 427-436.

80) Miknyoczki SJ, Chang H, Klein-Szanto A et al. The Trk tyrosine kinase inhibitor CEP-701 (KT-5555) exhibits significant antitumor efficacy in preclinical xenograft models of human pancreatic ductal adenocarcinoma. Clin Cancer Res. 1999 ; 5 (8) : 2205-2212.

81) Yan SB, Peek VL, Ajamie R et al. LY2801653 is an orally bioavailable multi-kinase inhibitor with potent activity against MET, MST1R, and other oncoproteins, and displays anti-tumor activities in mouse xenograft models. Invest New Drugs. 2013 ; 31 (4) : 833-844.

82) Konicek BW, Bray SM, Capen AR et al. Merestinib (LY2801653), targeting several oncokinases including NTRK1/2/3, shows potent anti-tumor effect in colorectal cell line-and patient-derived xenograft (PDX) model bearing TPM3-NTRK1 fusion. Cancer Res. 2016 ; 76 (14 suppl) : abstr 2647.

83) Shimomura T, Hasako S, Nakatsuru Y et al. MK-5108, a highly selective Aurora-A kinase

inhibitor, shows antitumor activity alone and in combination with docetaxel. Mol Cancer Ther. 2010 ; 9 （1）: 157-166.

84) Brasca MG, Amboldi N, Ballinari D et al. Identification of N,1,4,4-tetramethyl-8- ｛[4-（4-methylpiperazin-1-yl) phenyl] amino｝ -4,5-dihydro-1H-pyrazolo [4,3-h] quinazoline-3- carboxamide （PHA-848125), a potent, orally available cyclin dependent kinase inhibitor. J Med Chem 2009 ; 52 （16）: 5152-5163.

85) ECMC Network : PLX7486 background information October 2015. http://www.ecmcnetwork.org.uk/sites/default/files/PLX7486%20Background%20for%20CRUK%20Combinations%20 Alliance%20(Non-CI)%202015-10-08%20final.pdf

86) Patwardhan PP, Ivy KS, Musi E et al. Significant blockade of multiple receptor tyrosine kinases by MGCD516 （Sitravatinib), a novel small molecule inhibitor, shows potent antitumor activity in preclinical models of sarcoma. Oncotarget. 2016 ; 7 （4）: 4093-4109.

87) Penault-Llorca F, Rudzinski ER, Sepulveda AR. Testing algorithm for identification of patients with TRK fusion cancer. J Clin Pathol. 2019 ; 72 （7）: 460-467.

88) DuBois SG, Laetsch TW, Federman N et al. The use of neoadjuvant larotrectinib in the management of children with locally advanced TRK fusion sarcomas. Cancer. 2018 ; 124 （21）: 4241-4247.

89) Lozano-Ortega G, Hodgson M, Csintalan F et al. PPM11 TUMOUR-SPECIFIC RANDOMIZED CONTROLLED TRIALS IN RARE ONCOGENE-DRIVEN CANCERS : ASKING FOR THE IMPOSSIBLE? Value in Health. 2019 ; 22 （Supplement 3）: S838-S839.

90) Davies KD, Le AT, Sheren J et al. Comparison of Molecular Testing Modalities for Detection of ROS1 Rearrangements in a Cohort of Positive Patient Samples. J Thorac Oncol. 2018 ; 13 （10）: 1474-1482.

91) Solomon JP, Hechtman JF. Detection of NTRK Fusions : Merits and Limitations of Current Diagnostic Platforms. Cancer Res. 2019 ; 79 （13）: 3163-3168.

92) Orbach D, Sparber-Sauer M, Laetsch TW et al. Spotlight on the treatment of infantile fibrosarcoma in the era of neurotrophic tropomyosin receptor kinase inhibitors : International consensus and remaining controversies. Eur J Cancer. 2020 ; 137 : 183-192. doi : 10.1016/j.ejca.2020.06.028. Epub 2020 Aug 9. PMID : 32784118.

Ⅳ TMB-H を有する固形がん

8.1 TMB とは

　がん細胞は紫外線，喫煙などの外的要因，テモゾロミド等の治療介入，または DNA 修復機構に関連する遺伝子の先天的または後天的な原因により，正常細胞と比較して多くの遺伝子変異を有する特徴を持つ[1,2]。腫瘍遺伝子変異量（tumor mutation burden：TMB）とは，がん細胞が持つ体細胞遺伝子変異の量を意味し，100 万個の塩基（1 メガベース；1 Mb）当たりの遺伝子変異数（mut/Mb）を単位として表される。前臨床研究において，がん細胞のパッセンジャー遺伝子変異の中でも nonsynonymous 変異によって新規に生じたペプチドがネオアンチゲンとして抗原提示細胞の表面の主要組織適合遺伝子複合体（major histocompatibility complex：MHC）によって提示され，浸潤している免疫細胞によって非自己と認識されている可能性が報告された[3,4]。MHC による抗原ペプチドの提示を予測するための次世代シーケンス技術および計算手法が開発され，TMB が高いヒト腫瘍と類似する TMB が高いマウス腫瘍では，T 細胞によって認識されるネオアンチゲンを有していることが報告された[4]。また，TMB の増加に伴う免疫原性が非臨床試験によって確認されていることから，その生物学的特徴はがん種横断的に適用できることが示唆されている[5,6]。さらに，Schumacher と Schreiber によるレビューでは，体細胞変異が 10 mut/Mb を超える腫瘍（150 nonsynonymous mutation に相当）は，免疫系に認識されるネオアンチゲンが生じる可能性が示唆された[7]。

8.2 TMB 検査法

　TMB は次世代シーケンサーを用いて全ゲノム（whole genome sequencing：WGS）・全エクソーム（whole exome sequencing：WES）で従来評価されてきた。しかし，近年ターゲットシーケンスパネル（遺伝子パネル検査）でも高感度に TMB を定量することができることが報告されてきている[8-11]。TMB 解析領域が 1.1 Mb 領域のゲノムシーケンスを行う遺伝子パネル検査では WES TMB と相関することから，適確な TMB 測定が可能である。一方，0.5 Mb 未満では相関性が低くなるといわれている[8]。この TMB 値（TMB スコア）の算出に用いるアルゴリズムについては，各遺伝子パネル使用に最適と考えられる設計がされており，パネル毎の知的財産のため公開されておらず，ばらつきがあることが問題となっている（**表8-1**）。現在，Friends of Cancer Research（FoCR）を中心に TMB harmonization project が進行中であり，TMB 統一化が進められている。

　FoCR においてそれぞれの遺伝子パネル検査により算出された TMB スコアと WES TMB スコアとの相関が検証されており，がん種によりばらつきはあるものの，良好な相関性を示していることが報告されている（スピアマン相関係数 0.79-0.88）。本邦においては包括的が

表 8-1 組織を用いた各遺伝子パネル検査の概要 [12) を改変]

Laboratory	Panel name	#genes	Total region covered (Mb)	TMB region covered (Mb)	Type of exonic mutations included in TMB estimation
ACT Genomics	ACTOnco	440	1.8	1.12	Non-synonymous, synonymous
AstraZeneca	AZ600	607	1.72	1.72	Non-synonymous, synonymous
Caris	SureSelect XT	592	1.6	1.4	Non-synonymous
Foundation Medicine	FoudationOne® CDx	324	2.2	0.8	Non-synonymous, synonymous
Guardant Health	GuardantOMNI	500	2.15	1	Non-synonymous, synonymous
Illumina	TSO500	523	1.97	1.33	Non-synonymous, synonymous
Memorial Sloan Kettering	MSK-IMPACT	468	1.53	1.14	Non-synonymous
NeoGenomics	NeoTYPE Discoert Profile for Solid Tumors	372	1.1	1.03	Non-synonymous, synonymous
Personal genome Diagnostics	PGDx elio tissue complete	507	2.2	1.33	Non-synonymous, synonymous
QIAGEN	QIAseq TMB panel	486	1.33	1.33	Non-synonymous, synonymous
Thermo Fisher Scientific	Oncomine Tumor Mutation Load Assay	409	1.7	1.2	Non-synonymous
Sysmex	OncoGUide NCC オンコパネル	124	1.42	1.42	Non-synonymous, synonymous

んゲノムプロファイリングの一環として保険診療で実施することができる。Foundation-One® CDx で測定した TMB は WES TMB と高い相関を示すことが報告された[8]。NCC オンコパネルについても強い相関性が報告されている[13]（図 8-1）。今後，FoCR では臨床試験で免疫チェックポイント阻害薬を投与された患者の臨床検体を後方視的に解析し TMB の臨床実装を目指している。

前治療不応・不耐の切除不能進行再発固形がんを対象にバイオマーカーによるペムブロリズマブの有効性を評価した第 II 相試験である KEYNOTE-158 試験において，TMB-H 固形腫瘍に対する有効性が報告された[13]。本試験では FoundationOne® CDx で解析された TMB が 10 mut/Mb 以上の症例が TMB-H として定義された。FDA は本試験の結果より TMB-H 固形がんに対してペムブロリズマブを承認するとともに，ペムブロリズマブのコンパニオン診断薬として FoundationOne® CDx を承認した。本邦においては 2021 年 11 月 15 日に腫瘍遺伝子変異量高スコアを有する固形がんに対する医薬品の適応判定補助として Foundation-One® CDx が承認された。

従来の TMB の算出は腫瘍組織を用いて解析される。そのため切除不能となる以前の手術

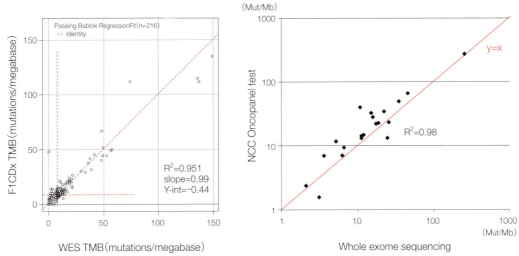

図 8-1 FoundationOne® CDx と NCC オンコパネルの TMB と WES TMB との相関[8,13]

検体等しか入手できない場合，FoundationOne® CDx による TMB 解析は全身療法を行う時点の腫瘍の状態を反映できていない可能性がある。そこで血液由来の循環腫瘍 DNA（circulating tumor DNA：ctDNA）解析を用いた TMB 評価も試みられている。ctDNA 解析は腫瘍組織解析と比較して，解析所要期間が短く[14]，また腫瘍内の遺伝学的不均一性を捉えられる可能性が指摘されている[15]。

8.3 TMB-H のがん種別頻度

図 8-2 は体細胞変異の頻度を各がん種別にみたものである。がん種によって 100 mut/Mb（メラノーマ・肺扁平上皮癌/肺腺癌等）を超えるものから 0.1 mut/Mb と少ないものまで

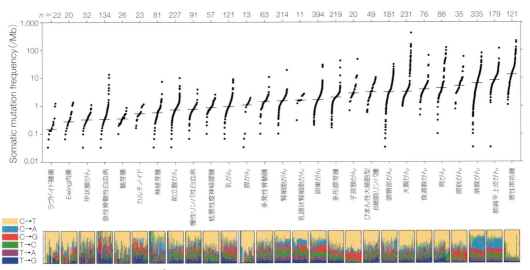

図 8-2 がん種別体細胞変異数[16]

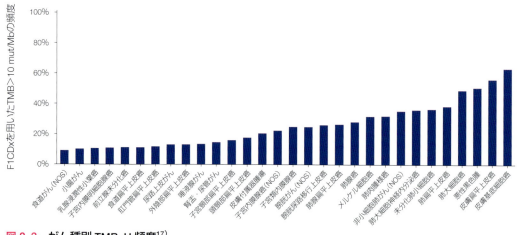

図 8-3　がん種別 TMB-H 頻度[17]

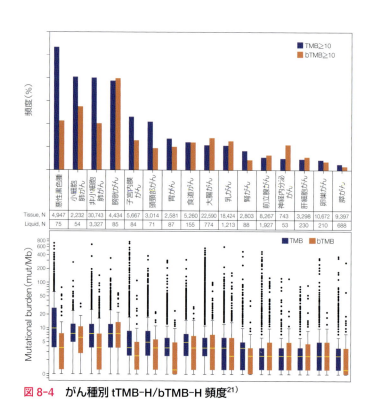

図 8-4　がん種別 tTMB-H/bTMB-H 頻度[21]

様々であり，同一がん種内でも1000倍以上の違いを認める[16]。

　FoundationOne® CDx（詳細は「8-2．TMB 検査法」）により 10 mut/Mb 以上の TMB スコアを有するがんの発生割合が Chan らのレビューによって報告されている（図 8-3）[17]。10 mut/Mb 以上の TMB スコアを有する上位 30 種類のがんの割合は，約 10～60％程度であり，固形がん全体では 13.3％であった。日本癌治療学会（JSCO）が主催し，日本臨床腫瘍学会（JSMO），欧州臨床腫瘍学会（ESMO），米国臨床腫瘍学会（ASCO），台湾腫瘍学会（TOS）が合同で開催した会議において，カットオフ値を TMB≧20 mut/Mb に設定し，Foundatio-

表8-2 がん種別TMB-H（TMB≧20 mut/Mb）[18]

がん種	症例数	TMB-H 症例数	頻度 （95%CI）
皮膚腫瘍	934	510	54.60% （51.35-57.83）
悪性黒色腫	5602	1842	32.88% （31.65-34.13）
びまん性大細胞型B細胞リンパ腫	785	148	18.85% （16.17-21.77）
詳細不明	740	97	13.11% （10.76-15.75）
子宮内膜がん	6112	730	11.94% （11.14-12.78）
非小細胞肺がん	39746	4559	11.47% （11.16-11.79）
膀胱がん	3425	389	11.36% （10.31-12.47）
原発不明がん	10636	925	8.70% （8.17-9.25）
頭頸部がん	3145	250	7.95% （7.03-8.95）
唾液腺がん	962	68	7.07% （5.53-8.88）
小細胞肺がん	2470	166	6.72% （5.76-7.78）
子宮頸がん	1678	103	6.14% （5.04-7.40）
小腸がん	1027	63	6.13% （4.75-7.78）
神経内分泌腫瘍（原発不明）	1386	79	5.70% （4.54-7.05）
結腸直腸がん	24747	1263	5.10% （4.83-5.39）
胃がん	3558	173	4.86% （4.18-5.62）
肛門がん	623	24	3.85% （2.48-5.68）
神経膠腫	6395	238	3.72% （3.27-4.22）
子宮がん（詳細不明）	1080	40	3.70% （2.66-5.01）
神経内分泌腫瘍（消化管）	602	21	3.49% （2.17-5.28）
前立腺がん	7222	220	3.05% （2.66-3.47）
軟部組織肉腫	4164	115	2.76% （2.29-3.31）
乳がん	19024	496	2.61% （2.39-2.84）
食道がん	5329	135	2.53% （2.13-2.99）
胆道がん	2182	45	2.06% （1.51-2.75）
虫垂がん	959	19	1.98% （1.20-3.08）
神経内分泌腫瘍（詳細不明）	947	16	1.69% （0.97-2.73）
賢がん	3419	51	1.49% （1.11-1.96）
胆管がん	3905	45	1.15% （0.84-1.54）
形質細胞腫瘍	1606	15	0.93% （0.52-1.54）

nOneデータベースにおけるTMBが高い（TMB-high：TMB-H）腫瘍の発生割合が報告されている（表8-2）[18]。発生割合の多いがんの上位30種類における割合は0.93%〜54.60%であった。TMB-H固形がんは予後が悪いことも報告されている[19]。

また，ctDNA解析を用いたがん種別のTMB評価も試みられている。Foundation Medicine社は血液のctDNA解析によりbTMBを評価するアッセイを開発した。非小細胞肺がんに対しドセタキセルと比較したアテゾリズマブの有効性を評価した前向き試験POPLAR，OAK試験において，治療前のベースラインの血液検体のbTMBが評価された[20]。この試験では同時に腫瘍組織を用いたtissue TMB(tTMB)が解析されたが，tTMBと比較したbTMB

Ⅳ TMB-Hを有する固形がん 65

の感度は 64%，特異度は 88% であった。2021 年 3 月 Foundation Medicine 社が開発した FoundationOne® Liquid CDx が血液検体を用いた固形がんに対する包括的ゲノムプロファイリングとして本邦で承認された。

腫瘍組織を FoundationOne® CDx を用いて解析した tTMB-H（≧10 mut/Mb）と血液を FoundationOne® Liquid CDx を用いて解析した bTMB-H（≧10 mut/Mb）のがん種別頻度が報告されている（**図 8-4**）[21]。16 がん種 167,332 例が解析され，tTMB-H は 19%，tTMB-H の頻度が高い順に悪性黒色腫（53%）・小細胞肺がん（41%）・非小細胞肺がん（40%）・膀胱がん（39%）・子宮体がん（23%）であった。bTMB については 16 がん種 9,312 例が解析され，bTMB-H は 13% であった。

8.4 TMB-H 固形がんに対する抗 PD-1/PD-L1 抗体薬の効果

前臨床研究において，がん細胞のパッセンジャー遺伝子変異の中でも DNA の変異によってアミノ酸が置換され生じた新規のペプチドが，ネオアンチゲンとして抗原提示され抗腫瘍免疫反応を引き起こす[3,4]。実際に TMB が高いマウス腫瘍では，T 細胞によって認識されるネオアンチゲンを有していることが報告された[4]。さらに，TMB の増加に伴う免疫原性が非臨床試験によって確認されていることから[5,6,22]，腫瘍細胞の TMB 増加によりネオアンチゲンが増加すれば T 細胞による腫瘍認識が促進されると考えられる。そのため TMB-H 固形がんでは免疫チェックポイント阻害薬により T 細胞の活性化が促されることで，抗腫瘍効果が期待される。実際に KEYNOTE-028 試験は PD-L1 発現陽性進行固形がんに対しペムブロリズマブの安全性・有効性を検証した第 I b 相試験である。本試験では探索的評価項目として TMB と PD-L1 の関連性を検証している。16 がん種 77 例で WES TMB が解析され（うち 1 例のみ MSI-H であった），TMB が高い症例でより腫瘍縮小効果が認められ，PFS の延長を認めたことが報告されている[23]。米国 Memorial Sloan Kettering Cancer Center において免疫チェックポイント阻害薬単独または併用療法を受けた 1662 例を対象に MSK-IMPACT を用いて TMB が検討され，がん種毎に TMB スコア上位 20% 以上の症例とそれ以外の症例で比較すると，有意に OS が延長する（HR 0.52；$p = 1.6 \times 10^{-6}$）ことが報告された[24]。これらの報告以外にも TMB が免疫チェックポイント阻害薬の効果予測因子として有効であることが多数報告されている。27 がん種における TMB の中央値に対して，免疫チェックポイント阻害薬（抗 PD-1 抗体または抗 PD-L1 抗体）単独療法の奏効割合（Objective response rate；ORR）をそれぞれプロットしたところ，ORR と TMB との間に，有意な相関が観察された（**図 8-5**）[25]。

KEYNOTE-158 試験は，前治療後不応・不耐の切除不能または転移性固形腫瘍に対するペムブロリズマブの有効性および安全性を評価する第 II 相多施設共同，非無作為化，非盲検，複数コホート試験である。本試験では様々ながん種においてペムブロリズマブの効果を予測する各種バイオマーカーが評価された。探索的バイオマーカーとして TMB を事前に規定し，FoundationOne® CDx により後方視的に解析した。その後，米国 FDA 承認の Post Marketing Requirement として，TMB-H を有する固形がん患者を前向きに組み入れるコホートとして，グループ M が追加された。本試験の主要評価項目は ORR，副次評価項目は，奏効期

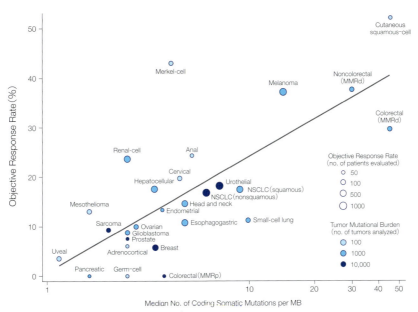

図 8-5　TMB と ORR の相関関係[25]

間，無増悪生存期間（progression free survival；PFS），全生存期間（overall survival；OS）であった。有効性解析対象集団の患者 1,050 例のうち，790 例から TMB のデータが得られた。TMB-H のカットオフ値を 10 mut/Mb 以上とし，102 例が TMB-H，688 例が TMB-Low（TMB-L）（10 mut/Mb 未満）であった。ペムブロリズマブは TMB-H 群で TMB-L 群と比較し高い ORR を示した（29％ vs. 6％）（図 8-6）。TMB-H 群において MSI-H 患者および MSI status が不明な患者を除外した 81 例での ORR は 28％と同程度であった。さらに本試験においては PD-L1 の発現についても評価されている。TMB スコアと PD-L1 の発現（combined positive score；CPS）に相関は認めず，TMB-H 群において PD-L1 陽性（CPS 1 以上）例での ORR 35％，PD-L1 陰性（CPS 1 未満）例での ORR 21％であった[26]。FDA は本試験の結果より TMB-H 固形がんに対してペムブロリズマブを承認した。

ASCO が実施している Targeted Agent and Profiling Utilization Registry（TAPUR）試験は特定のゲノム変化を対象として承認された標的薬を使用し抗腫瘍効果を評価する第Ⅱ相バスケット試験である。TMB-H コホートの結果も報告されている。TMB≧9 の大腸がん 27 例（MSS 25 例，残り 2 名は不明）における検討では ORR 11％（95％CI 2-29％），PFS 中央値 9.3 週（95％CI 7.3-16.1），OS 中央値 51.9 週（95％CI 18.7-NR）と抗腫瘍効果を認めた[27]。TMB≧9 の乳がんにおいても同様の検討がされており，ORR 37％（95％CI 21-50％），PFS 中央値 10.6 週（95％CI 7.7-21.1），OS 中央値 30.6 週（95％CI 18.3-103.3）と抗腫瘍効果を認めたことが報告されている[28]。

FDA が TMB-H 固形がんに対してペムブロリズマブを承認した後も，TMB のカットオフ値やがん種毎の効果の差について議論が続いている。悪性黒色腫，肺がん，膀胱がんなど，組織浸潤 CD8 T 細胞レベルがネオアンチゲン量と正の相関を示すがん種では，免疫チェックポイント阻害薬は TMB-H 腫瘍に対し高い抗腫瘍効果（ORR 39.8％，95％ CI 34.9-44.8）を示し，TMB-L 腫瘍に対する ORR よりも有意に高かった（Odds ratio（OR）4.1，95％ CI

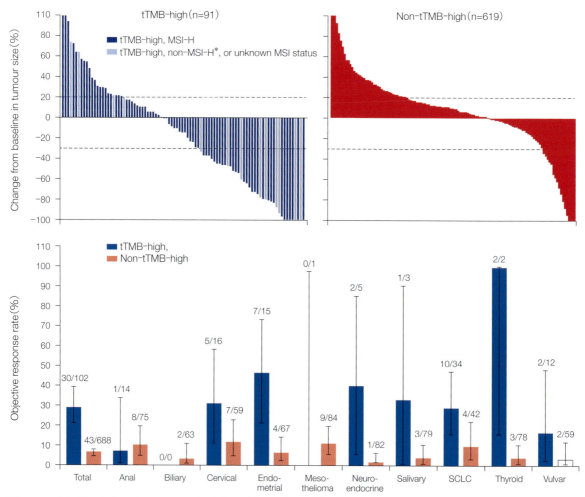

図 8-6 ペムブロリズマブの TMB-H 固形がんに対する有効性[26]

2.9-5.8, $p < 2 \times 10^{-16}$)。一方で乳がん，前立腺がん，神経膠腫など，CD8 T 細胞レベルとネオアンチゲン量に相関がないがん種では，TMB-H 腫瘍に対する免疫チェックポイント阻害薬の ORR は 15.3%（95%CI 9.2-23.4, $p = 0.95$）であり，TMB-L 腫瘍に比べて有意に低い値を示しており（OR 0.46, 95%CI 0.24-0.88, $p = 0.02$）[29]，がん種によって TMB が免疫チェックポイント阻害薬の効果を予測できない可能性が示唆された。また，がん種によって最適な TMB のカットオフ値が異なる可能性も示唆されている[30]。さらに，神経膠腫ではテモゾロミド治療により機序は明確ではないものの TMB が上昇することが知られているが，そのような症例も含めた TMB-H かつ dMMR 神経膠腫 11 例（未治療 5 例，治療後 6 例）での免疫チェックポイント阻害薬の有効性を検討した結果，82%で最良治療効果が病勢増悪であり，TMB-L と比較して有意差は認めなかった[31]。以上より，TMB の最適な測定法やがん種毎の TMB のカットオフについてさらなる検証が必要と考えられる。

ctDNA 解析を用いた TMB 評価も試みられている。免疫チェックポイント阻害薬を投与された 69 名の固形がん患者において，ctDNA 検査法の一つである Guardant360 で血液由来の ctDNA を解析した。その結果，variant of unknown significance（VUS）が 3 を超える症例

は有意に PFS が長かったことが示された[32]。さらに，非小細胞肺がんを対象にドセタキセルに対するアテゾリズマブの優越性を検証した OAK 試験および POPLAR 試験では，FoundationOne の bTMB アッセイを用いた ctDNA 解析で bTMB スコアが 16 以上の症例で，最もアテゾリズマブの効果が高いことが報告されている[33]。

9 クリニカルクエスチョン（CQ）

CQ6 TMB 検査の対象

PubMed で "Mutation and Tumor Burden or burden* or TMB"，"neoplasm"，"tested or diagnos* or detect*" のキーワードで検索した。Cochrane Library も同等のキーワードで検索した。検索期間は 1980 年 1 月～2021 年 1 月とし，PubMed から 585 編，Cochrane Library から 26 編が抽出された。一次スクリーニングで 233 編の論文が抽出され，二次スクリーニングで 208 編が抽出され，これらを対象に定性的システマチックレビューを行った。

CQ6-1 TMB スコアに関わらず免疫チェックポイント阻害薬が実地臨床で使用可能ながん以外の標準的な薬物療法を実施中，または標準的な治療が困難な固形がん患者に対して，免疫チェックポイント阻害薬の適応を判断するために TMB 測定検査は勧められるか？

TMB スコアに関わらず免疫チェックポイント阻害薬が実地臨床で使用可能ながん以外の標準的な薬物療法を実施中，または標準的な治療が困難な固形がん患者に対して，免疫チェックポイント阻害薬の適応を判断するために TMB 測定検査を推奨する。

推奨度 Recommended ［SR：8，R：11，ECO：1，NR：0］

KEYNOTE-158 試験において化学療法後に増悪した進行・再発の固形がんに対し，FoundationOne® CDx を用いて TMB スコアを測定し，TMB-H のカットオフ値を 10 mut/Mb 以上としてペムブロリズマブの有効性を検証した。その結果，ペムブロリズマブは TMB-H 群で TMB-L 群よりも高い ORR を示した（29% vs. 6%）[12]。米国食品医薬局（FDA）は本試験結果に基づき，2020 年 6 月 16 日切除不能または転移性の TMB-H（≧10 mut/Mb）固形がんに対しペムブロリズマブを迅速承認した。さらに，ペムブロリズマブのコンパニオン診断薬として FoundationOne® CDx を承認した。したがって，TMB は免疫チェックポイント阻害薬を用いる上でバイオマーカーとして適当であり，本邦でも推奨できる。

Ⅳ　TMB-H を有する固形がん　69

CQ6-2 TMB スコアに関わらず免疫チェックポイント阻害薬がすでに実地臨床で使用可能な切除不能固形がんに対し，免疫チェックポイント阻害薬の適応を判断するために TMB 測定検査は勧められるか？

TMB スコアに関わらず免疫チェックポイント阻害薬がすでに実地臨床で使用可能な切除不能固形がんに対し，免疫チェックポイント阻害薬の適応を判断するために TMB 測定検査を考慮する。

推奨度 Expert consensus opinion ［SR：0，R：3，ECO：12，NR：5］

　TMB スコアに関わらず免疫チェックポイント阻害薬の使用が可能である固形がんでは，TMB スコアによらず適応が判断されることから原則として TMB 判定検査を実施する必要はないと考えられる。しかし，PD-L1 の発現や dMMR 等のバイオマーカーによって免疫チェックポイント阻害薬の適応が判断される固形がんにおいて，バイオマーカーが陰性だった場合には免疫チェックポイント阻害薬の有効性が期待できる。実際に KEYNOTE-158 試験において TMB-H 症例のうち，MSI-H 患者および MSI status が不明な患者を除外した症例においても ORR は 28%，PD-L1 の発現によらず効果が認められている（PD-L1 陽性例での ORR 35%，PD-L1 陰性例での ORR 21%）[26]。以上より，バイオマーカーによって免疫チェックポイント阻害薬の適応が判断される固形がんにおいて，バイオマーカーが陰性だった場合には TMB 測定検査を実施することが推奨される。

CQ6-3 局所治療で根治可能な固形がん患者に対し，免疫チェックポイント阻害薬の適応を判断するために TMB 測定検査は勧められるか？

局所治療で根治可能な固形がん患者に対し，免疫チェックポイント阻害薬の適応を判断するための TMB 測定検査は推奨しない。

推奨度 Not recommended ［SR：0，R：0，ECO：5，NR：15］

　悪性黒色腫では，術後補助療法として抗 PD-1 抗体薬の有効性が示され，薬事承認されている（KEYNOTE-054 試験[34]，ONO-4538-21 試験[35]）。非小細胞肺がんでは白金製剤を用いた根治的同時化学放射線療法（CRT）後に病勢進行が認められなかった切除不能な局所進行例（ステージⅢ）を対象とし，抗 PD-L1 抗体薬を逐次投与する無作為化二重盲検プラセボ対照多施設共同第Ⅲ相試験である PACIFIC 試験の結果，薬事承認されている[36]。さらに，術前化学放射線療法後に切除された stage Ⅱ/Ⅲ の食道および食道胃接合部癌を対象にした Checkmate-577 試験においても，術後補助療法としてのニボルマブの有効性が示された[37]。しかし，これらの試験では TMB スコアによる効果の差は報告されていないことから，治療前の TMB 測定検査は原則不要である。また，それ以外の固形がんにおいては周術期治療としての免疫チェックポイント阻害薬の有効性は確立されていないことから，局所治療で根治可能な場合には治療選択のための TMB 測定検査は原則不要である。以上より，現時点では局所進行および転移が認められない固形がん患者に対し，免疫チェックポイント阻害薬の適

応を判定するための TMB 測定検査は推奨されない。

CQ6-4 免疫チェックポイント阻害薬がすでに投与された切除不能な固形がん患者に対し，再度免疫チェックポイント阻害薬の適応を判断するために TMB 測定検査は勧められるか？

免疫チェックポイント阻害薬がすでに投与された切除不能な固形がん患者に対し，再度免疫チェックポイント阻害薬の適応を判断するための TMB 測定検査は推奨しない。

推奨度 Not recommended ［SR：0，R：0，ECO：1，NR：19］

　一部の固形がんでは TMB スコアに関わらず免疫チェックポイント阻害薬が薬事承認されている。すでに免疫チェックポイント阻害薬が投与されている場合に，異なる免疫チェックポイント阻害薬を投与する際の効果は示されていない。よって，免疫チェックポイント阻害薬を投与する目的に，すでに使用された固形がん患者に対し TMB 測定検査は推奨しない。

CQ7 ｜ TMB 検査法

　PubMed で "Mutation and Tumor Burden or burden* or TMB"，"next-generation sequencing or NGS or Whole-exome sequencing or WES" のキーワードで検索した。Cochrane Library も同等のキーワードで検索した。検索期間は 1980 年 1 月〜2021 年 1 月とし，PubMed から 387 編，Cochrane Library から 22 編が抽出された。一次スクリーニングで 215 編の論文が抽出され，二次スクリーニングで 204 編が抽出され，これらを対象に定性的システマチックレビューを行った。

CQ7-1 免疫チェックポイント阻害薬の適応を判定するための TMB 測定検査として NGS 検査は勧められるか？

免疫チェックポイント阻害薬の適応を判定するための TMB 測定検査として，分析学的妥当性が確立された（薬事承認された等）NGS 検査を推奨する。

推奨度 Recommended ［SR：6，R：12，ECO：2，NR：0］

　本邦において，2018 年 12 月 27 日，固形がん患者を対象とした腫瘍組織の包括的ながんゲノムプロファイルを取得する目的，および一部の分子標的治療薬の適応判定のため体細胞遺伝子異常を検出する目的で FoundationOne® CDx が製造販売承認された。FoundationOne® CDx では TMB スコアの情報も付随している。KEYNOTE-158 試験において化学療法後に増悪した進行・再発の固形がんに対し，FoundationOne® CDx を用いて TMB スコアを測定し，TMB-H のカットオフ値を 10 mut/Mb 以上としてペムブロリズマブの有効性を検証した結果，ペムブロリズマブは TMB-H 群で TMB-L 群よりも高い ORR を示した[12]。FDA は本試験結果に基づき，2020 年 6 月 16 日切除不能または転移性の TMB-H（≧10 mut/Mb）固

Ⅳ　TMB-H を有する固形がん　　71

形がんに対しペムブロリズマブを迅速承認した。さらに，コンパニオン診断薬として FoundationOne® CDx を承認した。本邦においては 2021 年 11 月 15 日に腫瘍遺伝子変異量高スコアを有する固形がんに対する医薬品の適応判定補助として FoundationOne® CDx が承認された。

本邦では FoundationOne® CDx 以外にも固形がん患者を対象とした腫瘍組織の包括的ながんゲノムプロファイリング検査として，OncoGuide™ NCC オンコパネルシステムが承認されている。本検査についても FoundationOne® CDx 同様，全エクソームシーケンスとの強い相関性が報告されており[13]，免疫チェックポイント阻害薬の治療効果予測が期待される。しかし，2021 年 6 月時点では OncoGuide™ NCC オンコパネルシステムで検証された報告はない。遺伝子パネル毎に TMB スコアの算出アルゴリズムは異なり，ばらつきがある事には注意が必要である。現在，FoCR では，臨床試験で免疫チェックポイント阻害薬を投与された患者の臨床検体を後方視的に解析しており，その他の遺伝子パネル検査においても統一された TMB スコアでの臨床実装が期待される。

さらに，血液検体を用いた固形がんの包括的ゲノムプロファイル検査として FoundationOne® Liquid CDx がんゲノムプロファイルが 2021 年 3 月 22 日に承認，Guardant360 CDx についても 2021 年 1 月 28 日に製造販売承認申請されており，今後実地臨床で測定される機会が増えることが予想される。非小細胞肺がんを対象にドセタキセルに対するアテゾリズマブの優越性を検証した OAK 試験および POPLAR 試験では，血液検体を bTMB アッセイを用いて解析し，bTMB スコア 16 以上の症例で，アテゾリズマブの効果が高いことが報告されており[33]，今後他がん種においても検証されることが期待される。

以上より，免疫チェックポイント阻害薬の適応を判定するための TMB 測定検査として，組織を用いた分析学的妥当性が確立された NGS 検査は推奨される。

CQ8 | TMB-H に対する治療

PubMed で "Mutation and Tumor Burden or burden* or TMB"，"PD-1 or PD-L1*"，"treat*" のキーワードで検索した。Cochrane Library も同等のキーワードで検索した。検索期間は 1980 年 1 月〜2021 年 1 月とし，PubMed から 323 編，Cochrane Library から 10 編が抽出された。一次スクリーニングで 74 編の論文が抽出され，二次スクリーニングで 71 編が抽出され，これらを対象に定性的システマチックレビューを行った。

CQ8-1 | TMB-H を有する切除不能・転移・再発固形がんに対して免疫チェックポイント阻害薬は勧められるか？

TMB-H を有する切除不能・転移・再発固形がんに対して免疫チェックポイント阻害薬の投与を推奨する。

推奨度 Recommended ［SR：6，R：14，ECO：0，NR：0］

KEYNOTE-158 試験において化学療法後に増悪した進行・再発の固形がんに対し，FoundationOne® CDx を用いて TMB スコアを測定し，TMB-H のカットオフ値を 10 mut/Mb 以上としたペムブロリズマブの有効性を検証した結果，ペムブロリズマブは TMB-H 群で TMB-L 群と比較し高い ORR を示した（29% vs. 6%）[26]。臓器横断的に TMB-H 腫瘍では免疫チェックポイント阻害薬による治療効果が示されている。一方で，がん種によっては報告されている症例数が限られていること，免疫チェックポイント阻害薬の効果が得られていないがん種も存在することに注意が必要である（8.4. TMB-H 固形がんに対する抗 PD-1/PD-L1 抗体薬の効果参照）。

CQ8-2 TMB-H を有する切除不能・転移・再発固形がんに対して免疫チェックポイント阻害薬はいつ使用すべきか？

化学療法後に増悪した進行・再発の TMB-H 固形がんに対して免疫チェックポイント阻害薬の使用を推奨する。

推奨度 Recommended ［SR：5，R：15，ECO：0，NR：0］

　TMB-H 固形腫瘍に対する免疫チェックポイント阻害薬の有効性は，KEYNOTE-158 試験より化学療法後に増悪した進行・再発の固形がんを対象に示されている。そのため現時点では 1 次治療の治療選択肢とはならない。TMB 測定検査法の turnaround time（TAT）を考慮すれば，原則として TMB 測定検査の結果を待つことなく，臓器別に確立された 1 次治療（標準的な治療）を開始することが望ましいと考えられる。しかし，その後の治療法を検討する上で重要なバイオマーカーであり，その他のバイオマーカーを含め早い段階で検査することを考慮する。

参考文献

1) Alexandrov LB, Nik-Zainal S, Wedge DC et al. Signatures of mutational processes in human cancer. Nature. 2013；500（7463）：415-421.

2) Zehir A, Benayed R, Shah RH et al. Mutational landscape of metastatic cancer revealed from prospective clinical sequencing of 10,000 patients. Nat Med. 2017；23（6）：703-713.

3) Castle JC, Kreiter S, Diekmann J et al. Exploiting the mutanome for tumor vaccination. Cancer Res. 2012；72（5）：1081-1091.

4) Matsushita H, Vesely MD, Koboldt DC et al. Cancer exome analysis reveals a T-cell-dependent mechanism of cancer immunoediting. Nature. 2012；482（7385）：400-404.

5) Old LJ, Boyse EA, Clarke DA et al. Antigenic properties of chemically induced tumors. Ann. N. Y. Acad. Sci. 1962；101（1）：80-106.

6) Baldwin RW. Immunity to methylcholanthrene-induced tumours in inbred rats following atrophy and regression of the implanted tumours. Br J Cancer. 1955；9（4）：652-657.

7) Schumacher TN, Schreiber RD. Neoantigens in cancer immunotherapy. Science. 2015；348（6230）：69-74.

8) Chalmers ZR, Connelly CF, Fabrizio D, et al. Analysis of 100,000 human cancer genomes reveals the landscape of tumor mutational burden. Genome Med. 2017；9（1）：34.

9) Drilon A, Wang L, Arcila ME et al. Broad, hybrid capture-based next-generation sequencing identifies actionable genomic alterations in lung adenocarcinomas otherwise negative for

such alterations by other genomic testing approaches. Clin Cancer Res. 2015 ; 21 (16) : 3631-3639.

10) Garofalo A, Sholl L, Reardon B et al. The impact of tumor profiling approaches and genomic data strategies for cancer precision medicine. Genome Med. 2016 ; 8 (1) : 79.

11) Roszik J, Haydu LE, Hess KR et al. Novel algorithmic approach predicts tumor mutation load and correlates with immunotherapy clinical outcomes using a defined gene mutation set. BMC Med. 2016 ; 14 (1) : 168.

12) Merino DM, McShane LM, Fabrizio D et al. Establishing guidelines to harmonize tumor mutational burden(TMB) : in silico assessment of variation in TMB quantification across diagnostic platforms : phase I of the Friends of Cancer Research TMB Harmonization Project. J Immunother Cancer. 2020 ; 8 (1) : e000147.

13) Sunami K, Ichikawa H, Kubo T et al, Feasibility and utility of a panel testing for 114 cancer-associated genes in a clinical setting : A hospital-based study. Cancer Sci. 2019 ; 110 : 1480-1490.

14) Bachet JB, Bouché O, Taieb J et al. RAS mutation analysis in circulating tumor DNA from patients with metastatic colorectal cancer : the AGEO RASANC prospective multicenter study. Ann Oncol. 2018 ; 29 (5) : 1211-1219.

15) Parikh AR, Leshchiner I, Elagina L et al. Liquid versus tissue biopsy for detecting acquired resistance and tumor heterogeneity in gastrointestinal cancers. Nat Med. 2019 ; 25 : 1415-1421.

16) Lawrence MS, Stojanov P, Polak P et al : Mutational heterogeneity in cancer and the search for new cancer-associated genes. Nature. 2013 ; 499 (7457) : 214-218.

17) Chan TA, Yarchoan M, Jaffee E et al. Development of tumor mutation burden as an immunotherapy biomarker : utility for the oncology clinic. Ann Oncol. 2019 ; 30 (1) : 44-56.

18) Yoshino T, Pentheroudakis G, Mishima S et al. JSCO-ESMO-ASCO-JSMO-TOS : international expert consensus recommendations for tumour-agnostic treatments in patients with solid tumours with microsatellite instability or NTRK fusions. Ann Oncol. 2020 ; 31 (7) : 861-872.

19) Haricharan S, Bainbridge MN, Scheet P et al. Somatic mutation load of estrogen receptor-positive breast tumors predicts overall survival : an analysis of genome sequence data. Breast Cancer Res Treat. 2014 ; 146 : 211-220.

20) Gandara DR, Paul SM, Kowanetz M et al. Blood-based tumor mutational burden as a predictor of clinical benefit in non-small-cell lung cancer patients treated with atezolizumab. Nat Med. 2018 ; 24 (9) : 1441-1448.

21) Yoshino T, Tukachinsky H, Lee JK et al. Genomic immunotherapy (IO) biomarkers detected on comprehensive genomic profiling (CGP) of tissue and circulating tumor DNA (ctDNA). J Clin Oncol. 2021 ; 39 (suppl 15 : abstr 2541)

22) Rooney MS, Shukla SA, Wu CJ et al, Hacohen N. Molecular and genetic properties of tumors associated with local immune cytolytic activity. Cell. 2015 ; 160 (1-2) : 48-61.

23) Ott PA, Bang YJ, Piha-Paul SA et al. T-Cell-Inflamed Gene-Expression Profile, Programmed Death Ligand 1 Expression, and Tumor Mutational Burden Predict Efficacy in Patients Treated With Pembrolizumab Across 20 Cancers : KEYNOTE-028. J Clin Oncol. 2019 ; 37 (4) : 318-327.

24) Samstein RM, Lee CH, Shoushtari AN et al. Tumor mutational load predicts survival after immunotherapy across multiple cancer types. Nat Genet. 2019 ; 51 (2) : 202-206.

25) Yarchoan M, Hopkins A, Jaffee EM. Tumor Mutational Burden and Response Rate to PD-1 Inhibition. N Engl J Med. 2017 ; 377 (25) : 2500-2501.

26) Marabelle A, Fakih M, Lopez J et al. Association of tumour mutational burden with outcomes

in patients with advanced solid tumours treated with pembrolizumab : prospective bio-marker analysis of the multicohort, open-label, phase 2 KEYNOTE-158 study. Lancet Oncol. 2020 ; 21 (10) : 1353-1365.

27) Meiri E, Garret-Mayer E, Halabi S et al. Pembrolizumab (P) in patients (Pts) with colorec-tal cancer (CRC) with high tumor mutational burden (HTMB) : Results from the Targeted Agent and Profiling Utilization Registry (TAPUR) Study. J Clin Oncol. 2020 ; 38 (suppl4 : abstr 133).

28) Alva AS, Manget PK, Garrett-Mayer E, et al. Pembrolizumab in Patients With Metastatic Breast Cancer With High Tumor Mutational Burden : Results From the Targeted Agent and Profiling Utilization Registry (TAPUR) Study. J Clin Oncol. 2021 ; 39 (22) : 2443-2451.

29) McGrail DJ, Pilié PG, Rashidd NU et al. High tumor mutation burden fails to predict immune checkpoint blockade response across all cancer types. Ann Oncol. 2021 ; 32 (5) : 661-672.

30) Valero C, Lee M, Hoen D et al. Response Rates to Anti-PD-1 Immunotherapy in Microsatel-lite-Stable Solid Tumors With 10 or More Mutations per Megabase. JAMA Oncol. 2021 ; 7 (5) : 739-743.

31) Touat M, Li YY, Boynton AN et al. Mechanisms and therapeutic implications of hypermuta-tion in gliomas. Nature. 2020 ; 580 (7804) : 517-523.

32) Khagi Y, Goodman AM, Daniels GA et al. Hypermutated Circulating Tumor DNA : Correla-tion with Response to Checkpoint Inhibitor-Based Immunotherapy. Clin Cancer Res. 2017 ; 23 : 5729-5736.

33) Gandara DR, Paul SM, Kowanetz M et al. Blood-based Tumor Mutational Burden as a Predic-tor of Clinical Benefit in Non-Small-Cell Lung Cancer Patients Treated With Atezolizumab. Nat Med. 2018 ; 24 (9) : 1441-1448.

34) Eggermont AMM, Blank CU, Mandala M et al. Adjuvant Pembrolizumab versus Placebo in Resected Stage Ⅲ Melanoma. N Engl J Med. 2018 ; 378 (19) : 1789-1801.

35) Romano E, Scordo M, Dusza SW et al. Site and timing of first relapse in stage Ⅲ melanoma patients : implications for follow-up guidelines. J Clin Oncol. 2010 ; 28 (18) : 3042-3047.

36) Antonia SJ, Villegas A, Daniel D et al. Overall Survival with Durvalumab after Chemoradio-therapy in Stage Ⅲ NSCLC. N Engl J Med. 2018 ; 379 (24) : 2342-2350.

37) Kelly RJ, Ajani JA, Kuzdzal J et al. Adjuvant Nivolumab in Resected Esophageal or Gastro-esophageal Junction Cancer. N Engl J Med. 2021 ; 384 (13) : 1191-1203.

参考資料. TMB・PD-L1・MMR の関係

　免疫チェックポイント阻害薬の有効性に対するバイオマーカーとして MSI-H, TMB-H, PD-1/PD-L1 タンパク発現が報告されている。がん種により因子の割合は異なり，他因子とも交絡しうるものである。11,348 例の固形がんにおける MSI（NGS 法），TMB, PD-L1 タンパク発現の関連を検証した報告では，がん種により頻度や交絡状況も様々である（**図1，表1**）[1,2]。さらに，Mutation burden が評価できた 62,150 例の固形がんにおける TMB-H と MSI-H や *POLE/POLD* の関連を検証した試験の結果が報告された。全がん種での評価では MSI-H 固形がんのうち TMB-H（≧10 mut/Mb）は 97％ と高かった。がん種別では消化管がんや子宮体がんでは同様の傾向を認めるものの，肺がんや悪性黒色腫では MSI-H ではない TMB-H がんが多い（**図2**）[3]。さらに，TMB-H に関連する遺伝子変化として *POLE/POLD* がある。特に，TMB が 100 mut/Mb 以上の ultrahypermutated とされる TMB-H 固形がんでは *POLE/POLD* 変異が関与していることが報告されている[4,5]。

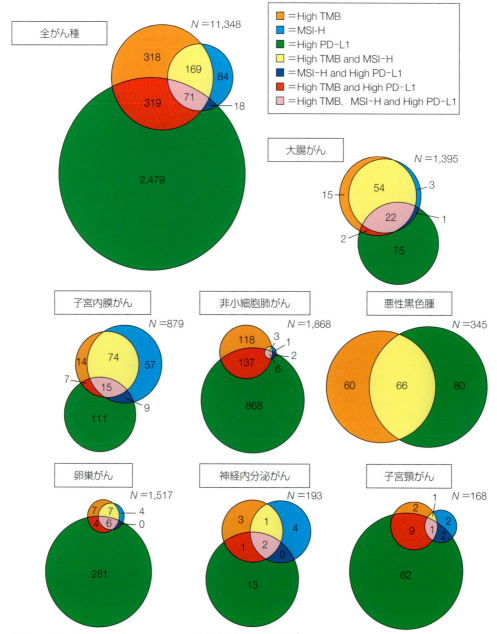

図1 MSI-H/TMB-H/PD-L1 status のがん種毎の関連性[1]

参考文献

1) Vanderwalde A, Spetzler D, Xiao N et al. Microsatellite instability status determined by next-generation sequencing and compared with PD-L1 and tumor mutational burden in 11,348 patients. Cancer Med. 2018;7(3):746-756.
2) Luchini C, Bibeau F, Ligtenberg MJL et al. ESMO recommendations on microsatellite instability testing for immunotherapy in cancer, and its relationship with PD-1/PD-L1 expression and tumour mutational burden: a systematic review-based approach. Ann Oncol. 2019 [Epub ahead of print].

表1 MSI-H/TMB-H/PD-L1 status のがん種毎の関連性[2]

%	TMB-H and MSI-H and PD-L1＋	TMB-H and/ or MSI-H and PD-L1＋	TMB-H and PD-L1＋	MSI-H and PD-L1＋	TMB-H and MSI-H
Total	2.9%	11.9%	11.4%	3.4%	10.0%
大腸がん	12.8%	14.6%	14.0%	13.4%	44.2%
食道がん/胃がん	14.6%	16.8%	16.8%	14.6%	27.7%
悪性黒色腫	0.0%	32.0%	32.0%	0.0%	0.0%
非小細胞肺がん	0.5%	12.7%	12.5%	0.7%	0.8%
子宮内膜がん	5.2%	10.5%	7.6%	8.3%	31.0%

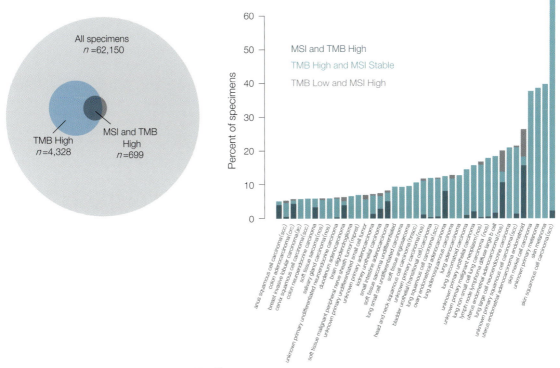

図2 MSI-H/TMB-H のがん種毎の関連性[3]

3) Chalmers ZR, Connelly CF, Fabrizio D, et al. Analysis of 100,000 human cancer genomes reveals the landscape of tumor mutational burden. Genome Med. 2017；9（1）：34.
4) Zehir A, Benayed R, Shah RH et al. Mutational landscape of metastatic cancer revealed from prospective clinical sequencing of 10,000 patients. Nat Med. 2017；23（6）：703-713.
5) Campbell BB, Light N, Fabrizio D et al. Comprehensive Analysis of Hypermutation in Human Cancer. Cell. 2017；171（5）：1042-1056.

V その他

10 その他の臓器横断的バイオマーカー

10.1 *BRAF*

 *BRAF*遺伝子はBRAFタンパクをコードする遺伝子であり，RAS/RAF/MEK/ERK経路を構成するRAFファミリーの一つである。RAFタンパクにはARAF，BRAF，CRAFが知られている。*BRAF*遺伝子は7q34に存在し，23のエクソンからなる[1]。

 *BRAF*遺伝子変異は様々な疾患で報告されているが，変異したBRAFタンパクのキナーゼ活性により，class 1〜class 3に分類されている（**表10-1**）[2]。Class 1は*BRAF* V600変異で，変異BRAFタンパクのキナーゼ活性は野生型とくらべ高度に上昇し（V600Mでは中等度），単量体の変異BRAFがRAS非依存的に下流シグナルを活性化する。Class 2もRAS非依存性であり，キナーゼ活性が中等度〜高度に上昇しており，野生型BRAFと二量体を形成し下流シグナルを活性化する。Class 3は，キナーゼ活性は低下しているが，野生型BRAFまたはCRAFと二量体を形成し，二量体が上流からの刺激により活性化されることで下流シグナルを活性化する。悪性黒色腫では*BRAF* class 3遺伝子変異に*RAS/NF1*の変化を伴うことが多い[2]。Class 1変異は他のRAS経路の遺伝子変化と相互排他的であるとされる一方で，class 2，class 3ではRAS依存性は症例ごとに異なっており，class分類の問題点も指摘されている[3]。

 Caris Life Sciences社から報告された114,662例のNGSを用いた解析結果では，*BRAF*遺伝子変異は全体で3.9%（4,517/114,662例）に認められた[4]。うち62.1%がclass 1（V600変異）であり，16.5%がclass 2，17.7%がclass 3であった。がん種別の頻度では，悪性黒色腫が39.7%（1,271/3,203例），甲状腺がん33.3%（165/496例），小腸がん8.9%（66/742例）の順に頻度が高く，大腸がん8.7%（1,280/14,680例），非小細胞肺がん4.1%（772/18,944例），胆管がん3.8%（79/2,068例），low grade glioma 3.1%（15/478例）で*BRAF*遺伝子変異が認められた。また，classic hairy cell leukemiaではほぼ全例に*BRAF* V600E変異が認められる[5]。ほかにも，Erdheim-Chester病[6]やランゲルハンス細胞組織球症[7]でも高頻度で

表10-1 *BRAF*遺伝子変異のclass分類（文献2より）

Class	
1	V600E，V600K，V600D，V600R，V600M
2	K601E，K601N，K601T，L597Q，L597V，G469A，G469V，G469R，G464V，G464E，Fusions*（KIAA1549-BRAFなどのように，RAS結合部位が欠損するもの）
3	D287H，V459L，G466V，G466E，G466A，S467L，G469E，N581S，N581I，D594N，D594G，D594A，D594H，F595L，G596D，G596R

V　その他　79

表 10-2 *BRAF* 遺伝子変異を対象とする承認薬（2021 年 9 月現在）[35]

薬剤	効能又は効果	用法及び用量
ベムラフェニブ	*BRAF* 遺伝子変異を有する根治切除不能な悪性黒色腫	通常，成人にはベムラフェニブとして 1 回 960 mg を 1 日 2 回経口投与する。
ダブラフェニブ	・*BRAF* 遺伝子変異を有する悪性黒色腫 ・*BRAF* 遺伝子変異を有する切除不能な進行・再発の非小細胞肺癌	〈悪性黒色腫〉 通常，成人にはダブラフェニブとして 1 回 150 mg を 1 日 2 回，空腹時に経口投与する。ただし，術後補助療法の場合には，トラメチニブと併用し，投与期間は 12 ヵ月間までとする。なお，患者の状態により適宜減量する。 〈非小細胞肺癌〉 トラメチニブとの併用において，通常，成人にはダブラフェニブとして 1 回 150 mg を 1 日 2 回，空腹時に経口投与する。なお，患者の状態により適宜減量する。
エンコラフェニブ	・*BRAF* 遺伝子変異を有する根治切除不能な悪性黒色腫 ・がん化学療法後に増悪した *BRAF* 遺伝子変異を有する治癒切除不能な進行・再発の結腸・直腸癌	〈*BRAF* 遺伝子変異を有する根治切除不能な悪性黒色腫〉 ビニメチニブとの併用において，通常，成人にはエンコラフェニブとして 450 mg を 1 日 1 回経口投与する。なお，患者の状態により適宜減量する。 〈がん化学療法後に増悪した *BRAF* 遺伝子変異を有する治癒切除不能な進行・再発の結腸・直腸癌〉 セツキシマブ（遺伝子組換え）との併用，又はビニメチニブ及びセツキシマブ（遺伝子組換え）との併用において，通常，成人にはエンコラフェニブとして 300 mg を 1 日 1 回経口投与する。なお，患者の状態により適宜減量する。
トラメチニブ	・*BRAF* 遺伝子変異を有する悪性黒色腫 ・*BRAF* 遺伝子変異を有する切除不能な進行・再発の非小細胞肺癌	ダブラフェニブとの併用において，通常，成人にはトラメチニブとして 2 mg を 1 日 1 回，空腹時に経口投与する。ただし，術後補助療法の場合には，投与期間は 12 ヵ月間までとする。なお，患者の状態により適宜減量する。
ビニメチニブ	・*BRAF* 遺伝子変異を有する根治切除不能な悪性黒色腫 ・がん化学療法後に増悪した *BRAF* 遺伝子変異を有する治癒切除不能な進行・再発の結腸・直腸癌	〈*BRAF* 遺伝子変異を有する根治切除不能な悪性黒色腫〉 エンコラフェニブとの併用において，通常，成人にはビニメチニブとして 1 回 45 mg を 1 日 2 回経口投与する。なお，患者の状態により適宜減量する。 〈がん化学療法後に増悪した *BRAF* 遺伝子変異を有する治癒切除不能な進行・再発の結腸・直腸癌〉 エンコラフェニブ及びセツキシマブ（遺伝子組換え）との併用において，通常，成人にはビニメチニブとして 1 回 45 mg を 1 日 2 回経口投与する。なお，患者の状態により適宜減量する。

BRAF 遺伝子変異が報告されている。

　BRAF 遺伝子変異を有する悪性腫瘍に対して，現在本邦においては RAF 阻害薬，MEK 阻害薬が使用可能である（**表 10-2**）。

　BRAF V600E/K 変異を有する悪性黒色腫に対して，RAF 阻害薬であるベムラフェニブをダカルバジンと比較したランダム化第Ⅲ相試験 BRIM-3 試験において，ベムラフェニブは奏効割合（48% 対 5%），PFS（中央値 5.3 か月対 1.6 か月，HR 0.26，P＜0.0001），OS（中央値 13.6 か月対 9.7 か月，HR 0.70，P＝0.0008）を有意に改善した[8,9]。ダブラフェニブとダカルバ

ジンを比較したランダム化第Ⅲ相試験 BREAK-3 試験では，ダブラフェニブは奏効割合
（50%対 7%），PFS（中央値 5.1 か月対 2.7 か月，HR 0.30，P＜0.0001）を有意に改善した[10]。
また，エンコラフェニブ＋ビニメチニブとベムラフェニブ単剤，エンコラフェニブ単剤を比
較したランダム化第Ⅲ相試験 COLUMBUS 試験では，PFS 中央値はエンコラフェニブ＋ビニ
メチニブで 14.9 か月，ベムラフェニブ単剤で 7.3 か月，エンコラフェニブ単剤で 9.6 か月で
あった[11]。

　BRAF V600E/K 変異を有する悪性黒色腫に対する MEK 阻害薬については，トラメチニブ
と化学療法を比較したランダム化第Ⅲ相試験 METRIC 試験では，トラメチニブにより PFS
（中央値 4.8 か月対 1.5 か月，HR 0.45，P＜0.001），OS（HR 0.54，P＝0.01）が有意に改善し
た[12]。

　現在では，*BRAF* V600E/K 変異を有する悪性黒色腫に対して最も有効な分子標的治療は
RAF 阻害薬と MEK 阻害薬の併用と考えられている。ダブラフェニブ＋トラメチニブとベム
ラフェニブを比較したランダム化第Ⅲ相試験 COMBI-v 試験では，奏効割合（64%対
51%）[13]，PFS（中央値 12.6 か月対 7.3 か月，HR 0.61），OS（中央値 25.6 か月対 18.0 か月，
HR 0.66）はいずれも併用群で優れていた[14]。ダブラフェニブ＋トラメチニブとダブラフェニ
ブを比較したランダム化第Ⅲ相試験 COMBI-d 試験でも，ダブラフェニブ＋トラメチニブ併
用は奏効割合（68%対 55%），PFS（HR 0.71），OS（HR 0.75）のいずれも優れていた[15,16]。
COMBI-v 試験と COMBI-d 試験の統合解析でも，ダブラフェニブ＋トラメチニブ併用は，
PFS 中央値 11.1 か月，OS 中央値 25.9 か月とその有効性が示されている[17]。ベムラフェニブ＋
コビメチニブをベムラフェニブ単剤療法と比較したランダム化第Ⅲ相試験 coBRIM 試験で
も，奏効割合（70%対 50%），PFS（中央値 12.3 か月対 7.2 か月，HR 0.58，P＜0.0001），OS
（中央値 22.3 か月対 17.4 か月，HR 0.70，P＝0.005）は有意にベムラフェニブ＋コビメチニブ
併用群で優れていた[18]。エンコラフェニブ＋ビニメチニブとベムラフェニブ単剤，エンコラ
フェニブ単剤を比較したランダム化第Ⅲ相試験 COLUMBUS 試験においても，奏効割合
（64%対 52%対 41%），PFS（中央値 14.9 か月対 9.6 か月対 7.3 か月），OS（中央値 33.6 か月
対 23.5 か月対 16.9 か月）とエンコラフェニブ＋ビニメチニブ併用群が最も優れる傾向が認め
られた[11,19]。

　V600E/K 以外の *BRAF* 遺伝子変異を有する悪性黒色腫に対しては，レトロスペクティブ
な検討であるが，奏効割合は RAF 阻害薬 0%（0/15 例），MEK 阻害薬 40%（2/5 例），RAF
阻害薬＋MEK 阻害薬 28%（5/18 例），PFS 中央値は RAF 阻害薬 1.8 か月，MEK 阻害薬 3.7
か月，RAF 阻害薬＋MEK 阻害薬 3.3 か月と報告されている[20]。

　非小細胞肺がんにおいても，RAF 阻害薬，MEK 阻害薬の有効性が報告されている。*BRAF*
V600E 遺伝子変異を有する固形がんを対象にベムラフェニブ単剤を検討した第Ⅱ相試験
VE-BASKET 試験では，非小細胞肺がんコホートの奏効割合は 42%，PFS 中央値は 7.3 か月
であった[21]。未治療のⅣ期非小細胞肺がん 36 例を対象として行われたダブラフェニブ＋トラ
メチニブ併用療法の第Ⅱ相試験では，奏効割合 64%，PFS 中央値 10.9 か月であった[22]。既
治療のⅣ期非小細胞肺がん 57 例を対象としたダブラフェニブ＋トラメチニブ併用療法の第
Ⅱ相試験では，奏効割合 63.2%，PFS 中央値 9.7 か月であった[23]。肺がん診療ガイドライン
においても *BRAF* 遺伝子変異陽性にダブラフェニブ＋トラメチニブを行うよう推奨されて

いる[24]。

　大腸がんにおいて*BRAF*遺伝子変異症例は野生型症例と比較して従来薬物療法の効果が乏しく予後不良であるとされていた。このため，RAF阻害薬，MEK阻害薬の効果が期待されたものの，その効果は限定的であった。ベムラフェニブ単剤を検討した第II相試験では，奏効割合5%（1/20例），PFS中央値2.1か月であった[25]。ダブラフェニブ＋トラメチニブ併用を検討した第II相試験でも，奏効割合12%（5/43例），PFS中央値3.5か月であった[26]。RAF阻害薬の効果が低い原因として，BRAF阻害によりフィードバックがかかり，EGFRの再活性化を来すことが考えられたため，RAF阻害薬，MEK阻害薬にEGFR阻害薬を併用することの有効性が検証された。ランダム化第III相試験BEACON CRC試験は，*BRAF* V600E遺伝子変異を有する大腸がんに対して，エンコラフェニブ＋ビニメチニブ＋セツキシマブ3剤併用療法，およびエンコラフェニブ＋セツキシマブ2剤併用療法の有効性を，化学療法（イリノテカンセツキシマブあるいはFOLFIRI＋セツキシマブ）と比較した[27]。奏効割合は3剤併用26%，2剤併用20%，化学療法群2%，PFS中央値は3剤併用4.3か月，2剤併用4.2か月，化学療法群1.5か月，OS中央値は3剤併用9.0か月，2剤併用8.4か月，化学療法群5.4か月と，併用群で優れていた。この結果により，大腸がんにおいて*BRAF* V600E遺伝子変異を認めた場合，RAF阻害薬/MEK阻害薬のみではなく，エンコラフェニブ＋ビニメチニブ＋セツキシマブあるいはエンコラフェニブ＋セツキシマブ療法が推奨されている。

　その他の固形がんに対しては，basket試験がいくつか報告されている。悪性黒色腫，甲状腺乳頭癌，hairy cell leukemia以外の*BRAF* V600E遺伝子変異を有する固形がんを対象に行われた第II相試験VE-BASKET試験において，172例がベムラフェニブ単剤を投与され，奏効割合は32.6%，PFS中央値5.8か月，OS中央値17.6か月であった[28]。奏効は非小細胞肺がん，組織球腫瘍，グリオーマ，甲状腺未分化癌，胆管がん，卵巣がん，明細胞肉腫，唾液腺導管癌，神経内分泌癌でみられた。Erdheim-Chester病あるいはランゲルハンス組織球症コホートでは奏効割合43%，PFS中央値5.9か月であった[21]。別のbasket試験として，NCI-MATCH試験のサブプロトコールHでは*BRAF* V600E遺伝子変異を有する固形がんに対してダブラフェニブ＋トラメチニブが検討され，登録された35例のうち29例の解析では奏効割合38%，PFS中央値11.4か月であった[29]。NCI-MATCH試験のサブプロトコールRではV600E以外の*BRAF*遺伝子変異を有する固形がんを対象にトラメチニブ単剤が検討され，32例における奏効割合は3%，PFS中央値は1.8か月，OS中央値は5.7か月であった。奏効例は*BRAF* G469E遺伝子変異を有する浸潤性乳がんで認められた。*BRAF* V600E遺伝子変異を有する甲状腺未分化癌におけるダブラフェニブ＋トラメチニブの報告では，16例に対して奏効割合69%，PFSとOSは中央値未到達であった[30]。*BRAF* V600E遺伝子変異を有する甲状腺乳頭癌に対するベムラフェニブ単剤の報告では，VEGFR阻害薬未治療例で奏効割合38.5%，既治療例27.3%であった[31]。Basket試験であるROAR試験ではダブラフェニブ＋トラメチニブが検討され，胆道がんコホート43例の報告では奏効割合47%，PFS中央値9か月であった[32]。Hairy cell leukemiaに対してベムラフェニブを検討した二つの第II相試験の統合解析の結果では，奏効割合96%，完全奏効はそれぞれの試験で35%と42%に認められた[33]。

　以上のように*BRAF*遺伝子変異は多くのがん種にまたがって認められ，特に*BRAF*

V600E 遺伝子変異に対して，大腸がん以外では RAF 阻害薬や MEK 阻害薬の有効性が示されている。大腸がんでは EGFR 阻害薬との併用が有効である[34]。

10.2 | *HER2*（*ERBB2*）

Human epidermal growth factor 2 receptor（*HER2*）遺伝子は，*ERBB2* とも呼ばれ，17 番染色体の長腕（17q21）に位置するがん遺伝子である。HER2 タンパクは，チロシンキナーゼ受容体の HER/ErbB ファミリーを構成して，細胞表面に存在する[36]。HER2 への可溶性リガンドはなく，リガンドを持つ他の HER ファミリーメンバーとの二量体形成によって活性化され，細胞内へのシグナル伝達が開始される。

HER2 活性化のメカニズムとしては，遺伝子変異，遺伝子増幅，タンパク過剰発現という 3 つのサブグループが報告されている[37,38]。遺伝子変異は，遺伝子増幅やタンパク過剰発現とは発生メカニズムが異なることから，異なる臨床的特徴，予後および薬剤への感受性が予想される[39]。一部の *HER2* 遺伝子変異が真の「ドライバー」変異で可能性も示唆されている。HER2 活性化に際し 3 つのサブグループに共通して，ホモまたはヘテロ二量体化と自己リン酸化の増加に伴う受容体の活性化が起こり，これによりマイトジェン活性化プロテインキナーゼ（MAPK），ホスホイノシチド 3 キナーゼ（PI3K）/プロテインキナーゼ B（AKT），プロテインキナーゼ C（PKC）など，細胞増殖を引き起こす複数のシグナル伝達経路が導かれる[36,40]。

HER2 遺伝子変異は，逆転写ポリメラーゼ連鎖反応（RT-PCR）や，次世代シークエンス（NGS）などのシークエンス法によって検出可能である。HER2 タンパク発現は，HER2 遺伝子変異との相関はみられなかった[39]。*HER2* 遺伝子増幅の定義は，「蛍光 in situ ハイブリダイゼーション（FISH）によるセントロメアに対する HER2 遺伝子コピー数の平均比率［HER2/chromosome enumeration probe 17（CEP17）］が 2 以上」が最も受け入れられている[41,42]。乳がんでは，2.2 以上を陽性とし，1.8〜2.2 に関しては境界域として再検査を推奨している。HER2 タンパク過剰発現を検出する方法として，免疫組織化学（IHC）による 0〜3＋のスコアリングシステム（IHC 0-1＋は HER2 陰性，IHC 2＋は弱〜中程度，IHC 3＋は腫瘍細胞の 10％以上に染色があれば強いと定義される）が実臨床において一般的に使用されている。乳がんでは，IHC 3＋は腫瘍細胞の 30％以上としていること，胃がんの生検標本では陽性染色がある癌細胞クラスター（5 個以上の癌細胞の集塊）が 1 個以上を IHC 3＋としていることには注意が必要である。

乳がん，胃がん，膀胱がんなどでは *HER2* 遺伝子増幅・タンパク過剰発現がみられることが知られている。大規模な遺伝子解析が行われた結果，*HER2* 遺伝子増幅は乳がんで最も頻度が高く，続いて胃がんであることが報告された[43-45]。現在，*HER2* 遺伝子増幅・タンパク過剰発現を有する乳がんの治療薬として国内で保険承認されているのものは，5 種類の HER2 阻害剤となる。モノクローナル抗体であるトラスツズマブとペルツズマブ，抗体薬物複合体（ADC）であるトラスツズマブエムタンシンとトラスツズマブデルクステカン，EGFR/HER2 チロキシンキナーゼ阻害剤であるラパチニブである。モノクローナル抗体は，乳がん治療において，化学療法との併用により，特に補助療法において，*HER2* 遺伝子増幅

乳がん患者の治療成績を大幅に改善した。乳がんとは異なり，*HER2*遺伝子増幅・タンパク過剰発現を有する胃がん薬剤にはトラスツズマブのみが承認されていたが，2レジメン以上の治療歴を有する症例において標準的化学療法に比較して高い奏効率，生存期間の延長が認められた結果，トラスツズマブデルクステカンも2021年に適応が追加された[46]。一方で，トラスツズマブエムタンシンとラパチニブは*HER2*遺伝子増幅・タンパク過剰発現を有する胃がんにおいて期待されていたが，標準治療に比較して生存期間の延長を示せなかった。*HER2*遺伝子増幅・タンパク過剰発現を有する唾液腺がんにおいて，トラスツズマブとドセタキセルの併用療法が，高い奏効率および臨床的有用率，長期の無増悪生存期間および生存期間を示すことが本邦より報告され，2021年に国内で保険承認された[47]。トラスツズマブとラパチニブの併用療法，トラスツズマブとペルツズマブの併用療法，トラスツズマブエムタンシン，トラスツズマブデルクステカンは，肺がんや大腸がんなど，*HER2*遺伝子増幅を有する他のがん種を対象に，現在，臨床試験が行われている[48-50]。

　*HER2*遺伝子変異（主にエクソン20のinsertion）は，低頻度ではあるが肺がんにおいて存在することが報告され[51,52]，その後，HER2タンパク質の活性化に寄与することが示された[53]。近年，乳がん，大腸がん，膀胱がんなど，複数のがん種で*HER2*遺伝子変異が報告されている[54]。全がん患者のうち2%近くで，*HER2*遺伝子のホットスポット変異または活性化である可能性の高い変異を有し，HER2を標的とした治療法への感受性を示唆する前臨床および臨床のデータも報告されている。複数の*HER2*遺伝子変異を発現させたMCF10A細胞株において，トラスツズマブに対する中程度の感受性が観察された[55]。S310F/YとV777L変異を有する細胞株でラパチニブへの感受性を示したが，L755S，L869R，エクソン20挿入/欠失などの他の変異を有する細胞株ではラパチニブ耐性を示した。Boseらは，*HER2*遺伝子変異を保有する大腸がん患者の腫瘍組織移植モデル（PDX）が，HER2阻害剤に反応するかどうかを調べた。その中でHER2S310YまたはHER2L866Mを保有するPDXは，EGFRモノクローナル抗体であるセツキシマブおよびパニツムマブには耐性を示したが，EGFR/HER2チロキシンキナーゼ阻害剤のネラチニブには感受性を示した[56]。これらの前臨床試験に加えて，*HER2*遺伝子変異を有する肺がんや乳がんの患者が，トラスツズマブ，トラスツズマブ＋ペルツズマブ，あるいはネラチニブに反応したことを示す症例報告がある[57-60]。不可逆的なEGFR/HER2チロキシンキナーゼ阻害剤であるネラチニブとアファチニブ，ADCであるトラスツズマブエムタンシンとトラスツズマブデルクステカンは，*HER2*変異を有する固形がんの治療において期待が持たれている。

10.3 *FGFR*

　線維芽細胞受容体（fibroblast growth factor receptor；FGFR）は，4つのサブタイプ（FGFR1～4）があり，3つの免疫グロブリン様ドメイン（Ig-like domain；D1～3）を有する細胞外ドメイン，膜貫通ドメイン，および細胞内チロシンキナーゼドメインからなる膜貫通型受容体である[61]。これらに対し22種類のリガンド（FGF）が存在する。FGFがFGFRのD3ドメインに結合することにより2量体化したFGFRから，FGFR基質（FGFR substrate；FRS）2を介したPI3K/AKT経路やRAS/RAF/MAPK経路，その他ホスホリパーゼCγ経

表 10-3　選択的 FGFR 阻害剤

薬剤	標的分子	がん種	遺伝子異常	相	症例	奏効割合 PFS 中央値
Erdafitinib	FGFR1–4 可逆性	尿管がん	*FGFR3* 変異 *FGFR2/3* 融合	2	99	40% 5.5 か月
Pemigatinib	FGFR1–3 可逆性	胆管がん	*FGFR2* 融合	2	107	35.5% 6.9 か月
Infigratinib	FGFR1〜3 可逆性	胆管がん	*FGFR2* 融合	2	108	23.1% 7.3 か月
Futibatinib	FGFR1〜4 非可逆性	胆管がん	*FGFR2* 融合	2	67	37.3%

路などのシグナル伝達が生じ，がんの増殖，生存，血管新生，薬剤耐性，微小環境における免疫回避などに関与するとされる[61]。次世代シークエンサーを用いた 4,853 例（18 がん種）の大規模な *FGFR* 遺伝子解析の結果，343 例（7.1%）に *FGFR* 遺伝子異常（増幅 66%，変異 26%，再構成 8%）を認めたと報告されている[62]。遺伝子サブタイプ別の頻度は *FGFR1*（49%），*FGFR3*（26%），*FGFR2*（19%），*FGFR4*（7%）の順であった。がん種別の頻度は，尿路上皮がん（32%），乳がん（17%），子宮内膜がん（11%），卵巣がん（9%），原発不明がん（8%），グリオーマ（8%），胆管がん（7%），胃がん（7%），非小細胞肺がん（5%），および膵がん，頭頸部扁平上皮がん，大腸がん，肉腫（4〜5%）の順であった。*FGFR1* 遺伝子は大部分に増幅（89%），*FGFR2* 遺伝子は増幅（49%），変異に次いで再構成（16%），*FGFR3* 遺伝子は変異，増幅に次いで再構成（19%）を認めた。

　FGFR3 変異や *FGFR2/3* 遺伝子再構成を高頻度に有する胆管がんや尿管がんを中心として選択的 FGFR チロシンキナーゼ阻害剤の治療開発が進められた（**表 10-3**）。*FGFR3* 変異や *FGFR2/3* 融合遺伝子を有する進行尿路上皮がんを対象とした erdafitinib の第Ⅱ相試験（BLC2001）において，奏効割合 40%，無増悪生存期間（PFS）中央値 5.5 か月と良好な治療成績であり，2019 年 4 月に erdafitinib が FDA 承認（本邦未承認）された[63]。さらに進行胆管がんを対象とした pemigatinib の第Ⅱ相試験（FIGHT-202）において，*FGFR2* 融合遺伝子を有するコホートで奏効割合 35.5%，PFS 中央値 6.9 か月と良好な結果が示され，2020 年 4 月に pemigatinib が FDA 承認（2021 年 3 月本邦承認）された[64]。*FGFR2* 融合遺伝子を有する胆管がんに対する infigratinib の第Ⅱ相試験においても，奏効割合 23.1%，PFS 中央値 7.3 か月と良好な治療成績であり，2021 年 5 月に FDA 承認（本邦未承認）された[65]。共有結合型 FGFR 阻害剤 futibatinib についても *FGFR2* 融合遺伝子を有する進行肝内胆管がんを対象とした第Ⅱ相試験（FOENIX-CCA2）の中間解析において，奏効割合 37.3% と良好な成績を示し，2021 年 4 月に FDA よりブレークスルー・セラピー指定を受けている[66]。さらに一次治療などのより早い治療ライン，免疫チェックポイント阻害薬を含む併用療法，遺伝子増幅例を含む他がん種での治療開発も行われており，より幅広い臨床応用が期待される。

10.4 RAS

RASはrat sarcoma virusと呼ばれるラットの肉腫の原因ウィルスに名前が由来する分子量21,000の単量体グアノシン三リン酸（GTP）結合タンパクであり，KRAS, NRAS, HRASの3種類のアイソフォームが存在する[67,68]。*RAS*遺伝子は，*KRAS*が12番染色体，*NRAS*が1番染色体，*HRAS*が11番染色体に位置し，それぞれ4つのエクソンと3つのイントロンからなる。*RAS*遺伝子変異によりアミノ酸置換が生じるとRASのGTPaseとしての機能が低下して，恒常的な活性化状態となり，下流にシグナルを送り続ける。この過剰なシグナルが発がんやがんの増殖に関与していると考えられている。RAS阻害剤の開発はGTP結合部位の小分子化合物に集中していたが，マイクロモルレベルのGTP高親和性とGTPのミリモル細胞濃度，RAS蛋白質構造上の明らかな疎水性ポケットの欠如も相まって直接阻害剤の開発は難渋していた[69]。しかし，近年徐々に開発が進み，直接阻害剤による有効性も報告されてきている。

KRASは3つのアイソフォームの中でも多くのがん種で高頻度に変異が認められている[67]。*KRAS*変異のうち，約80%はcodon 12における変異であると推定されている[70]。そのなかでも*KRAS* G12Cは非小細胞肺がんの約13%，結腸直腸がんの約3%，膵がん・子宮内膜がん・膀胱がん・卵巣がん・小細胞肺がん等の約1-2%で認められる[71-73]（図10-1）[74]。KRAS G12C阻害薬であるsotorasibはKRASのP2ポケットに不可逆的に結合する低分子化合物である。KRAS G12Cをグアノシン二リン酸が結合した不活性型の高次構造のまま保持する。これにより下流シグナル伝達が阻害される[75]。*KRAS* G12C変異陽性進行固形腫瘍患者を対象にsotorasibの安全性を検証する第Ⅰ相試験が行われ，安全性と忍容性が確認されたのと同時に癌腫横断的に奏効症例が認められた[76]。標準治療による治療歴のある*KRAS* G12C変異陽性進行非小細胞肺がん患者を対象とした単群第Ⅱ相試験において，sotorasibの

図10-1 *KRAS* G12C変異のがん種別頻度[74]

ORR は 37.1%（95%CI 28.6-46.2），DCR は 80.6%（95% CI 72.6-87.2），奏効期間の中央値は 11.1 か月（95% CI 6.9-評価不能）であった。PFS 中央値は 6.8 か月（95% CI 5.1-8.2），OS の中央値は 12.5 か月（95% CI 10.0-評価不能）と良好な結果が報告された[77]。この結果をもとに 2021 年 5 月 28 日に FDA で少なくとも 1 ラインの全身治療歴を有する KRAS G12C 変異陽性の局所進行または転移を有する非小細胞肺癌を対象に迅速承認された。また，同時にコンパニオン診断薬として「QIAGEN therascreen KRAS RGQ PCR kit」と「Guardant360 CDx」も承認された。Sotorasib は本邦でも承認申請されている。さらに，1 ラインの全身治療歴を有する KRAS G12C 変異陽性の局所進行または転移を有する結腸直腸がんでは前述の第 I 相試験では ORR 7.1%（95%CI 1.5-19.5）であった。同対象に対して sotorasib と抗 EGFR 抗体薬であるパニツムマブ併用療法の安全性と有効性を検証する第 I b 相試験の結果も報告され，併用療法による ORR 15.4% とより良好な結果が報告された[78]。

　現在，KRAS G12C 阻害薬や G12C 以外を対象とした RAS 阻害薬，ヌクレオチド交換および RAS-GTP の形成を促進するグアニンヌクレオチド交換因子（SOS1 等）をターゲットとした薬剤開発，これらと化学療法や他の分子標的薬，免疫チェックポイント阻害薬との併用療法の有効性を検証する試験が多数実施されている。

10.5 BRCA1/2

　BRCA1/2（Breast Cancer Susceptibility Gene 1/2）はそれぞれ 17q21，13q12 に位置し，DNA 二本鎖切断に対する相同組み替え修復に深く関与している。BRCA1/2 の機能が低下した細胞においては DNA 一本鎖切断に対する塩基除去修復を担う PARP（ポリ ADP-リボースポリメラーゼ）の働きが重要となるが，この PARP の機能を阻害すると DNA 損傷の修復が不可能となり，細胞死がもたらされる。また，このような細胞では白金製剤への感受性が高いことも報告されている。

　BRCA1/2 の変異は BRCA1/2 関連腫瘍とされる乳がん，卵巣がん，前立腺がん，膵臓がん以外にも臓器横断的に認められる。様々ながん種の腫瘍組織 234,154 検体を NGS ベースのがん遺伝子パネル検査で解析した研究では，BRCA1/2 の変異が全体の 4.7% で認められた（図 10-2）。また，BRCA1/2 の変異が両アリルで認められたのは全体の 3.2% で，BRCA1/2 関連腫瘍では 8.9%，それ以外のがん種では 1.3% であった[79]。

　BRCA1/2 関連腫瘍では，PARP 阻害薬の効果が第Ⅲ相試験で示されている。

　乳がんでは，生殖細胞系列の BRCA1/2 陽性かつ HER2 陰性でアントラサイクリン系及びタキサン系抗悪性腫瘍薬の治療歴を有する患者を対象とし，オラパリブ単剤と医師が選択した標準的な化学療法を比較した第Ⅲ相試験（OlympiAD 試験）において，無増悪生存期間の有意な延長が認められた（7.0 か月 vs. 4.2 か月 HR 0.58 95% CI 0.43-0.80，p<0.001）[80]。

　卵巣がんでは，生殖細胞系列もしくは体細胞系列の BRCA1/2 変異陽性で白金系抗悪性腫瘍薬を含む初回化学療法で奏効が維持されている高異型度漿液性または類内膜卵巣がん（原発性腹膜がん及び卵管がんを含む）を対象とし，オラパリブとプラセボを比較した第Ⅲ相試験（SOLO1 試験）において，3 年無増悪生存割合は 60% vs. 27%（HR 0.30 95% CI 0.23-0.41，p<0.001）であった[81]。

Ⅴ　その他　　87

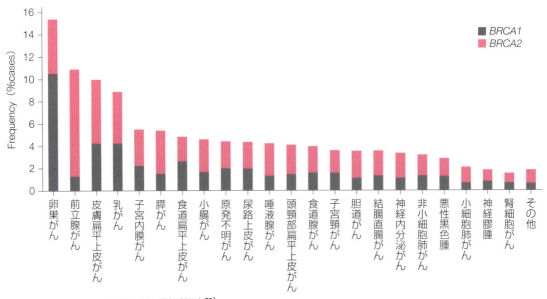

図 10-2 *BRCA1/2* 変異のがん種別頻度[79]

前立腺がんでは，相同組換え修復関連遺伝子変異陽性でアビラテロンまたはエンザルタミドの治療歴のある去勢抵抗性前立腺がんを対象とし，オラパリブ単剤とエンザルタミドもしくはアビラテロン（いずれか未治療の方）を比較した第Ⅲ相試験（PROfound 試験）において，主要評価項目である *BRCA1/2* もしくは *ATM* に病的バリアントを有する群での無増悪生存期間の有意な延長が認められた（7.4 か月 vs. 3.6 か月 HR 0.34 95％CI 0.25-0.47, p＜0.001)[82]。

膵がんでは，生殖細胞系列の *BRCA1/2* 変異陽性で白金系抗悪性腫瘍薬を含む一次化学療法が 16 週間以上継続された後疾患進行が認められていない膵腺癌患者を対象とし，オラパリブ単剤とプラセボを比較した第Ⅲ相試験（POLO 試験）において，無増悪生存期間の有意な延長が認められた（7.4 か月 vs. 3.8 か月 HR 0.53 95％CI 0.35-0.82, p＝0.004)[83]。

他のがん種においては明確な有効性は示されてはいないが，生殖細胞系列の *BRCA1/2* 変異陽性患者を対象とした talazoparib の第Ⅰ相試験では，小細胞肺がん 23 例中 2 例（8.7％）で部分奏効が得られたことが報告されている[84]。現在 *BRCA1/2* 変異陽性や相同組換え修復関連遺伝子変異陽性例を対象としたがん種横断的な試験がいくつか行われており，結果が待たれる。

なお，*BRCA1/2* は体細胞で病的バリアントが認められた場合に生殖細胞系列由来である可能性が高い遺伝子の一つである[85]。腫瘍組織のみを検体として用いるがん遺伝子パネル検査において *BRCA1/2* の病的バリアントが検出された際には，適切な遺伝カウンセリングの実施，そして生殖細胞系列の確認検査の機会の提供が推奨される。

10.6 ALK

未分化リンパ腫キナーゼ（anaplastic lymphoma kinase；ALK）はインスリン受容体スー

パーファミリーに属する受容体チロシンキナーゼである。染色体2p23に存在し，未分化大細胞型リンパ腫，神経芽腫および非小細胞肺がんを含む様々ながん種において，融合遺伝子，変異，そして遺伝子増幅が認められている[86,87]。融合遺伝子は腫瘍で認められる*ALK*の遺伝子変化で最も一般的であり，*EML4*以外に*NPM1*，*STRN*，*CLTC*，*TNS1*，*KIF5B*などがパートナー遺伝子として報告されている[88]。

遺伝子プロファイル検査が行われた114,200例の検討では，非小細胞肺癌で3.1%（675/21,522例）に，非小細胞肺癌を除く固形腫瘍では0.2%（201/92,678例）で*ALK*融合遺伝子が検出された。*ALK*融合遺伝子が検出された癌種は，乳癌，大腸癌，リンパ腫，卵巣癌，膵癌，炎症性筋線維芽細胞性腫瘍，平滑筋肉腫，軟部肉腫，甲状腺乳頭癌，原発不明癌，子宮肉腫などであった。

*ALK*融合遺伝子陽性の非小細胞肺癌に対しては本邦ではクリゾチニブ，セリチニブ，アレクチニブ，ブリグチニブ，ロルラチニブが承認されている。クリゾチニブ，セリチニブは，ALK陽性の未治療非小細胞肺癌患者を対象とした第Ⅲ相試験において，両薬剤ともにプラチナ製剤併用療法に対する無増悪生存期間の有意な改善が報告されている[89,90]。アレクチニブとクリゾチニブの第Ⅲ相試験においては，国内の試験でPFS中央値34.1vs 10.2か月（HR 0.37, 95%CI：0.26-0.52, $P<0.001$）[91]，海外の試験でPFS中央値34.8vs 10.9か月（HR 0.43, 95%CI：0.32-0.58, $P<0.001$）[92]とアレクチニブの有効性が示されている。さらに，ALK陽性の非小細胞肺癌の初回治療での比較試験が，ブリグチニブ，ロルラチニブでも報告されている。ブリグチニブとクリゾチニブを比較する第Ⅲ相試験が行われ，PFSの有意な延長が示されている（未到達 vs 9.8か月，HR 0.49, 95%CI：0.33-0.74, $P<0.001$）[93]。ロルラチニブは，クリゾチニブとの第Ⅲ相試験でも，中間解析でPFSの有意な延長が示され（未到達 vs 9.3か月，HR 0.28, 95%CI：0.19-0.41, $P<0.001$）[94]。

炎症性筋線維芽細胞性腫瘍に対するクリゾチニブの単群第Ⅱ相試験の，ALK陽性コホート（IHCとFISHで確認された）では，奏効割合50%（12人中6人奏効）であった[95]。また，*ALK*融合遺伝子陽性固形腫瘍（肺癌を除く）に対してALK阻害薬の投与がされた7例のレトロスペクティブな報告があり，癌腫は炎症性筋線維芽細胞性腫瘍（3例），組織球症（1例），組織球肉腫（1例），骨肉腫（1例），耳下腺癌（1例）であった。*ALK*融合遺伝子は，IIIC，FISHもしくはNCCオンコパネルで評価されていた。初回のALK阻害薬として，クリゾチニブ（2例），アレクチニブ（5例）が投与され，奏効割合は85.7%（7人中6人で奏効）であり，PFSの中央値は8.1か月であった[96]。*ALK*融合遺伝子陽性炎症性筋線維芽細胞性腫瘍に対してクリゾチニブを投与された8例の検討では，CR，PR，SDがそれぞれ4例，3例，1例に認められたと報告されている[97]。

非小細胞肺癌を除く，*ALK*融合遺伝子陽性固形腫瘍に対するALK阻害薬のデータは限られており，とくに炎症性筋線維芽細胞性腫瘍以外の固形腫瘍においては，さらなる症例集積データが必要である。

代表的な小児がんの一つである神経芽腫においては，6-10%の症例に体細胞変異として*ALK*変異が検出され，F1174（51%）変異の頻度が最も高く，続いてR1275（29%），R1245（10%），その他（10%）である。また，頻度は低いが，1-2%の症例に生殖細胞系列変異として*ALK*変異が検出される[98]。米国小児がん研究グループ（Children's Oncology Group）は，

ALK 変異を有する再発・難治性神経芽腫（ADVL0912）に対するクリゾチニブの第Ⅰ/Ⅱ相試験を施行し，体細胞変異 *ALK* Arg1275Gln を有する症例においては，奏効率 25%（3/12）（CR：1/12，PR：2/12）であった。しかしながら，その他の *ALK* 活性型ミスセンス変異，増幅症例においては，反応性を認めなかった。現在，国内で第二世代アレクチニブ，国外で第三世代ロルラチニブを用いた試験が行われている[99]。

参考文献

1) BRAF B-Raf proto-oncogene, serine/threonine kinase［Homo sapiens（human）］https://www.ncbi.nlm.nih.gov/gene/673 accessed on 20/SEP/2021

2) Yao Z, Yaeger R, Rodrik-Outmezguine VS et al. Tumours with class 3 BRAF mutants are sensitive to the inhibition of activated RAS. Nature. 2017；548（7666）：234-238.

3) Zhao Y, Yu H, Ida CM et al. Assessment of RAS Dependency for BRAF Alterations Using Cancer Genomic Databases. JAMA Netw Open. 2021；4（1）：e2035479.

4) Owsley J, Stein MK, Porter J et al. Prevalence of class I-Ⅲ BRAF mutations among 114,662 cancer patients in a large genomic database. Exp Biol Med（Maywood）. 2021；246（1）：31-39.

5) Naing PT, Acharya U. Hairy Cell Leukemia. 2021 Aug 11. In：StatPearls［Internet］. Treasure Island（FL）：StatPearls Publishing；2021 Jan—. PMID：29763020.

6) Goyal G, Heaney ML, Collin M et al. Erdheim-Chester disease：consensus recommendations for evaluation, diagnosis, and treatment in the molecular era. Blood. 2020；135（22）：1929-1945.

7) Gulati N, Allen CE. Langerhans cell histiocytosis：Version 2021. Hematol Oncol. 2021；39 Suppl 1：15-23.

8) Chapman PB, Hauschild A, Robert C et al：Improved survival with vemurafenib in melanoma with BRAF V600E mutation. N Engl J Med. 2011；364（26）：2507-2516.

9) McArthur GA, Chapman PB, Robert C et al. Safety and efficacy of vemurafenib in BRAF（V600E）and BRAF（V600K）mutation-positive melanoma（BRIM-3）：extended follow-up of a phase 3, randomised, open-label study. Lancet Oncol. 2014；15（3）：323-332.

10) Hauschild A, Grob J-J, Demidov LV et al. Dabrafenib in BRAF-mutated metastatic melanoma：amulticentre, open-label, phase 3 randomised controlled trial. Lancet. 2012；380（9839）：358-365.

11) Dummer R, Ascierto PA, Gogas HJ et al. Encorafenib plus binimetinib versus vemurafenib or encorafenib in patients with BRAF-mutant melanoma（COLUMBUS）：a multicentre, open-label, randomised phase 3 trial. Lancet Oncol. 2018；19（5）：603-615.

12) Flaherty KT, Robert C, Hersey P et al. Improved survival with MEK inhibition in BRAF-mutated melanoma. N Engl J Med. 2012；367（2）：107-114.

13) Robert C, Karaszewska B, Schachter J et al. Improved overall survival in melanoma with combined dabrafenib and trametinib. N Engl J Med. 2015；372（1）：30-39.

14) Dhillon S. Dabrafenib plus Trametinib：a Review in Advanced Melanoma with a BRAF（V600）Mutation. Target Oncol. 2016；11（3）：417-428.

15) Long GV, Stroyakovskiy D, Gogas H, et al. Dabrafenib and trametinib versus dabrafenib and placebo for Val600 BRAF-mutant melanoma：a multicentre, double-blind, phase 3 randomised controlled trial. Lancet. 2015；386（9992）：444-451.

16) Long GV, Flaherty KT, Stroyakovskiy D et al. Dabrafenib plus trametinib versus dabrafenib monotherapy in patients with metastatic BRAF V600E/K-mutant melanoma：long-term survival and safety analysis of a phase 3 study. Ann Oncol. 2017；28（7）：1631-1639.

17) Robert C, Grob JJ, Stroyakovskiy D et al. Five-Year Outcomes with Dabrafenib plus Trametinib in Metastatic Melanoma. N Engl J Med. 2019；381（7）：626-636.

18) Ascierto PA, McArthur GA, Dréno B et al. Cobimetinib combined with vemurafenib in advanced BRAF（V600）-mutant melanoma（coBRIM）：updated efficacy results from a randomised, double-blind, phase 3 trial. Lancet Oncol. 2016；17（9）：1248-1260.

19) Dummer R, Ascierto PA, Gogas HJ et al. Overall survival in patients with BRAF-mutant melanoma receiving encorafenib plus binimetinib versus vemurafenib or encorafenib（COLUMBUS）：a multicentre, open-label, randomised, phase 3 trial. Lancet Oncol. 2018；19（10）：1315-1327.

20) Menzer C, Menzies AM, Carlino MS et al. Targeted Therapy in Advanced Melanoma With Rare *BRAF* Mutations. J Clin Oncol. 2019；37（33）：3142-3151.

21) Hyman DM, Puzanov I, Subbiah V et al. Vemurafenib in Multiple Nonmelanoma Cancers with BRAF V600 Mutations. N Engl J Med. 2015；373（8）：726-736.

22) Planchard D, Smit EF, Groen HJM et al. Dabrafenib plus trametinib in patients with previously untreated BRAF^{V600E}-mutant metastatic non-small-cell lung cancer：an open-label, phase 2 trial. Lancet Oncol. 2017；18（10）：1307-1316.

23) Planchard D, Besse B, Groen HJM et al. Dabrafenib plus trametinib in patients with previously treated BRAF（V600E）-mutant metastatic non-small cell lung cancer：an open-label, multicentre phase 2 trial. Lancet Oncol. 2016；17（7）：984-993.

24) 肺癌診療ガイドライン 2020 年版. https://www.haigan.gr.jp/guideline/2020/1/2/200102070 100.html#cq61 Accessed on 01/SEP/2021.

25) Kopetz S, Desai J, Chan E et al. Phase Ⅱ Pilot Study of Vemurafenib in Patients With Metastatic BRAF-Mutated Colorectal Cancer. J Clin Oncol. 2015；33（34）：4032-4038.

26) Corcoran RB, Atreya CE, Falchook GS et al. Combined BRAF and MEK Inhibition With Dabrafenib and Trametinib in BRAF V600-Mutant Colorectal Cancer. J Clin Oncol. 2015；33（34）：4023-4031.

27) Kopetz S, Grothey A, Yaeger R et al. Encorafenib, Binimetinib, and Cetuximab in BRAF V600E-Mutated Colorectal Cancer. N Engl J Med. 2019；381（17）：1632-1643.

28) Subbiah V, Puzanov I, Blay JY et al. Pan-Cancer Efficacy of Vemurafenib in BRAFV600-Mutant Non-Melanoma Cancers. Cancer Discov. 2020；10（5）：657-663.

29) Salama AKS, Li S, Macrae ER et al. Dabrafenib and Trametinib in Patients With Tumors With *BRAF*V600E Mutations：Results of the NCI-MATCH Trial Subprotocol H. J Clin Oncol. 2020；38（33）：3895-3904.

30) Subbiah V, Kreitman RJ, Wainberg ZA et al. Dabrafenib and Trametinib Treatment in Patients With Locally Advanced or Metastatic BRAF V600-Mutant Anaplastic Thyroid Cancer. J Clin Oncol. 2018；36（1）：7-13.

31) Brose MS, Cabanillas ME, Cohen EE et al. Vemurafenib in patients with BRAF（V600E）-positive metastatic or unresectable papillary thyroid cancer refractory to radioactive iodine：a non-randomised, multicentre, open-label, phase 2 trial. Lancet Oncol. 2016；17（9）：1272-1282.

32) Subbiah V, Lassen U, Élez E et al. Dabrafenib plus trametinib in patients with BRAF^{V600E}-mutated biliary tract cancer（ROAR）：a phase 2, open-label, single-arm, multicentre basket trial. Lancet Oncol. 2020；21（9）：1234-1243.

33) Tiacci E, Park JH, De Carolis L et al. Targeting Mutant BRAF in Relapsed or Refractory Hairy-Cell Leukemia. N Engl J Med. 2015；373（18）：1733-1747.

34) Halle BR, Johnson DB. Defining and Targeting BRAF Mutations in Solid Tumors. Curr Treat Options Oncol. 2021；22（4）：30.

35) 医療用医薬品の添付文書情報　https://www.info.pmda.go.jp/psearch/html/menu_tenpu_

base.html

36) Moasser MM. The oncogene HER2 : its signaling and transforming functions and its role in human cancer pathogenesis. Oncogene. 2007 ; 26 （45） : 6469-6487.

37) Cancer Genome Atlas Research Network. Comprehensive molecular profiling of lung adenocarcinoma. Nature. 2014 ; 511 （7511） : 543-550.

38) Mishra R, Hanker AB, Garrett JT. Genomic alterations of ERBB receptors in cancer : clinical implications. Oncotarget. 2017 ; 8 （69） : 114371-114392.

39) Li BT, Ross DS, Aisner DL et al. HER2 Amplification and HER2 Mutation Are Distinct Molecular Targets in Lung Cancers. J Thorac Oncol. 2016 ; 11 （13） : 414-419.

40) Ferguson KM. Structure-based view of epidermal growth factor receptor regulation. Annu Rev Biophys. 2008 ; 37 : 353-373.

41) Press MF, Slamon DJ, Flom KJ et al. Evaluation of HER-2/neu gene amplification and overexpression : comparison of frequently used assay methods in a molecularly characterized cohort of breast cancer specimens. J Clin Oncol. 2002 ; 20 （14） : 3095-3105.

42) Press MF, Sauter G, Bernstein L et al. Diagnostic evaluation of HER-2 as a molecular target : an assessment of accuracy and reproducibility of laboratory testing in large, prospective, randomized clinical trials. Clin Cancer Res. 2005 ; 11 （18） : 6598-6607.

43) Slamon DJ, Clark GM, Wong SG et al. Human breast cancer : correlation of relapse and survival with amplification of the HER-2/neu oncogene. Science. 1987 ; 235 （4875） : 177-182.

44) Gravalos C, Jimeno A. HER2 in gastric cancer : a new prognostic factor and a novel therapeutic target. Ann Oncol. 2008 ; 19 （9） : 1523-1529.

45) Jimenez RE, Hussain M, Bianco FJ Jr. et al. Her-2/neu overexpression in muscle-invasive urothelial carcinoma of the bladder : prognostic significance and comparative analysis in primary and metastatic tumors. Clin Cancer Res. 2001 ; 7 （8） : 2440-2447.

46) Shitara K, Bang YJ, Iwasa S et al. Trastuzumab Deruxtecan in Previously Treated HER2-Positive Gastric Cancer. N Engl J Med. 2020 ; 382 （25） : 2419-2430.

47) Takahashi H, Tada Y, Saotome T et al. Phase Ⅱ Trial of Trastuzumab and Docetaxel in Patients With Human Epidermal Growth Factor Receptor 2-Positive Salivary Duct Carcinoma. J Clin Oncol. 2019 ; 37 （2） : 125-134.

48) Nakamura Y, Okamoto W, Kato T et al. Circulating tumor DNA-guided treatment with pertuzumab plus trastuzumab for HER2-amplified metastatic colorectal cancer : a phase 2 trial. Nat Med. 2021 ; 27 （11） : 1899-1903.

49) Meric-Bernstam F, Hurwitz H, Raghav KPS et al. Pertuzumab plus trastuzumab for HER2-amplified metastatic colorectal cancer （MyPathway） : an updated report from a multicentre, open-label, phase 2a, multiple basket study. Lancet Oncol. 2019 ; 20 （4） : 518-530.

50) Peters S, Stahel R, Bubendorf L et al. Trastuzumab Emtansine （T-DM1） in Patients with Previously Treated HER2-Overexpressing Metastatic Non-Small Cell Lung Cancer : Efficacy, Safety, and Biomarkers. Clin Cancer Res. 2019 ; 25 （1） : 64-72.

51) Stephens P, Hunter C, Bignell G et al. Lung cancer : intragenic ERBB2 kinase mutations in tumours. Nature. 2004 ; 431 （7008） : 525-526.

52) Shigematsu H, Takahashi T, Nomura M et al. Somatic mutations of the HER2 kinase domain in lung adenocarcinomas. Cancer Res. 2005 ; 65 （5） : 1642-1646.

53) Wang SE, Narasanna A, Perez-Torres M et al. HER2 kinase domain mutation results in constitutive phosphorylation and activation of HER2 and EGFR and resistance to EGFR tyrosine kinase inhibitors. Cancer Cell. 2006 ; 10 : 25-38.

54) Chmielecki J, Ross JS, Wang K et al. Oncogenic alterations in ERBB2/HER2 represent potential therapeutic targets across tumors from diverse anatomic sites of origin. Oncologist. 2015 ; 20 : 7-12.

55) Bose R, Kavuri SM, Searleman AC et al. Activating HER2 mutations in HER2 gene amplification negative breast cancer. Cancer Discov. 2013；3（2）：224-237.

56) Kavuri SM, Jain N, Galimi F et al. HER2 activating mutations are targets for colorectal cancer treatment. Cancer Discov. 2015；5（8）：832-841.

57) Ali SM, Alpaugh RK, Downing SR et al. Response of an ERBB2-mutated inflammatory breast carcinoma to human epidermal growth factor receptor 2-targeted therapy. J Clin Oncol. 2014；32：e88-e91.

58) Chumsri S, Weidler J, Ali S et al. Prolonged Response to Trastuzumab in a Patient With HER2-Nonamplified Breast Cancer With Elevated HER2 Dimerization Harboring an ERBB2 S310F Mutation. J Natl Compr Canc Netw. 2015；13（9）：1066-1070.

59) Chuang JC, Stehr H, Liang Y et al. ERBB2-Mutated Metastatic Non-Small Cell Lung Cancer：Response and Resistance to Targeted Therapies. J Thorac Oncol. 2017；12（5）：833-842.

60) Mazières J, Barlesi F, Filleron T et al. Lung cancer patients with HER2 mutations treated with chemotherapy and HER2-targeted drugs：results from the European EUHER2 cohort. Ann Oncol. 2016；27（2）：281-286.

61) Katoh M. Fibroblast growth factor receptors as treatment targets in clinical oncology. Nat Rev Clin Oncol. 2019；16（2）：105-122.

62) Helsten T, Elkin S, Arthur E et al. The FGFR landscape in cancer：analysis of 4,853 tumors by next-generation sequencing. Clin Cancer Res. 2016；22（1）：259-267.

63) Loriot Y, Necchi A, Park SH et al. Erdafitinib in locally advanced or metastatic urothelial carcinoma. N Engl J Med. 2019；381（4）：338-348.

64) Abou-Alfa GK, Sahai V, Hollebecque A et al. Pemigatinib for previously treated, locally advanced or metastatic cholangiocarcinoma：a multicentre, open-label, phase 2 study. Lancet Oncol. 2020；21（5）：671-684.

65) Javle M, Roychowdhury S, Kelley RK et al. Infigratinib（BGJ398）in previously treated patients with advanced or metastatic cholangiocarcinoma with FGFR2 fusions or rearrangements：mature results from a multicentre, open-label, single-arm, phase 2 study. Lancet Gastroenterol Hepatol. 2021；6（10）：803-815.

66) Bridgewater J, Meric-Bernstam F, Hollebecque A et al. 54 P-Efficacy and safety of futibatinib in intrahepatic cholangiocarcinoma（iCCA）harboring FGFR2 fusions/other rearrangements：Subgroup analyses of a phase Ⅱ study（FOENIX-CCA2）. Ann Oncol. 2020；31（suppl_4）：S260-S273.

67) Malumbres M, Barbacid M. RAS oncogenes：the first 30 years. Nat Rev Cancer. 2003；3：459-465.

68) Pylayeva-Gupta Y, Grabocka E, Bar-Sagi D. RAS oncogenes：weaving a tumorigenic web. Nat Rev Cancer. 2011；11（11）：761-774.

69) McCormick F. K-Ras protein as a drug target. J Mol Med（Berl）. 2016；94（3）：253-258.

70) Prior IA, Lewis PD, Mattos C. A comprehensive survey of Ras mutations in cancer. Cancer Res. 2012；72（10）：2457-2467.

71) Biernacka A, Tsongalis PD, Peterson JD et al. The potential utility of re-mining results of somatic mutation testing：KRAS status in lung adenocarcinoma. Cancer Genet. 2016；209（5）：195-198.

72) Neumann J, Zeindl-Eberhart E, Kichner T et al. Frequency and type of KRAS mutations in routine diagnostic analysis of metastatic colorectal cancer. Parhol Res Pract. 2009；205(12)：858-862.

73) AACR Project GENIE Consortium. Powering Precision Medicine through an International Consortium. Cancer Discov. 2017；7（8）：818-831.

74) Nassar AH, Adib E, Kwiatkowski DJ. Distribution of $KRAS^{G12C}$ Somatic Mutations across Race, Sex, and Cancer Type. N Engl J Med. 2021 ; 384 (2) : 185-187.

75) Canon J, Rex K, Saiki AY et al. The clinical KRAS (G12C) inhibitor AMG 510 drives anti-tumour immunity. Nature. 2019 ; 575 (7781) : 217-223.

76) Hong DS, Fakih MG, Strickler JH et al. KRASG12C Inhibition with Sotorasib in Advanced Solid Tumors. N Engl J Med. 2020 ; 383 (13) : 1207-1217.

77) Skoulidis F, Li BT, Dy GK et al. Sotorasib for Lung Cancers with KRAS p.G12C Mutation. N Engl J Med. 2021 ; 384 (25) : 2371-2381.

78) Fakih M, Falchook GS, Hong DS et al. CodeBreaK 101 subprotocol H : Phase Ib study evaluating combination of sotorasib (Soto), a KRASG12C inhibitor, and panitumumab (PMab), an EGFR inhibitor, in advanced KRAS p.G12C-mutated colorectal cancer (CRC). Ann Oncol. 2021 ; 32 (suppl_5) : abst434P.

79) Sokol ES, Pavlick D, Khiabanian H et al. Pan-Cancer Analysis of BRCA1 and BRCA2 Genomic Alterations and Their Association With Genomic Instability as Measured by Genome-Wide Loss of Heterozygosity. JCO Precis Oncol. 2020 ; 4 : 442-465.

80) Robson M, Im SA, Senkus E et al. Olaparib for Metastatic Breast Cancer in Patients with a Germline BRCA Mutation. N Engl J Med. 2017 ; 377 (6) : 523-533.

81) Moore K, Colombo N, Scambia G et al. Maintenance Olaparib in Patients with Newly Diagnosed Advanced Ovarian Cancer. N Engl J Med. 2018 ; 379 (26) : 2495-2505.

82) de Bono J, Mateo J, Fizazi K et al. Olaparib for Metastatic Castration-Resistant Prostate Cancer. N Engl J Med. 2020 ; 382 (22) : 2091-2102.

83) Golan T, Hammel P, Reni M et al. Maintenance Olaparib for Germline BRCA-Mutated Metastatic Pancreatic Cancer. N Engl J Med. 2019 ; 381 (4) : 317-327.

84) de Bono J, Ramanathan RK, Mina L et al. Phase I, Dose-Escalation, Two-Part Trial of the PARP Inhibitor Talazoparib in Patients with Advanced Germline BRCA1/2 Mutations and Selected Sporadic Cancers. Cancer Discov. 2017 ; 7 (6) : 620-629.

85) Mandelker D, Donoghue M, Talukdar S et al. Germline-focussed analysis of tumour-only sequencing : recommendations from the ESMO Precision Medicine Working Group. Ann Oncol. 2019 ; 30 (8) : 1221-1231.

86) Morris SW, Kirstein MN, Valentine MB et al. Fusion of a kinase gene, ALK, to a nucleolar protein gene, NPM, in non-Hodgkin's lymphoma. Science. 1994 ; 263 (5151) : 1281-1284.

87) Soda M, Choi YL, Enomoto M et al. Identification of the transforming EML4-ALK fusion gene in non-small-cell lung cancer. Nature. 2007 ; 448 (7153) : 561-566.

88) Ross JS, Ali SM, Fasan O et al. ALK Fusions in a Wide Variety of Tumor Types Respond to Anti-ALK Targeted Therapy. Oncologist. 2017 ; 22 (12) : 1444-1450.

89) Solomon BJ, Mok T, Kim DW et al ; PROFILE 1014 Investigators. First-line crizotinib versus chemotherapy in ALK-positive lung cancer. N Engl J Med. 2014 ; 371 (23) : 2167-2177.

90) Soria JC, Tan DSW, Chiari R et al. First-line ceritinib versus platinum-based chemotherapy in advanced ALK-rearranged non-small-cell lung cancer (ASCEND-4) : a randomised, open-label, phase 3 study. Lancet. 2017 ; 389 (10072) : 917-929.

91) Nakagawa K, Hida T, Nokihara H et al. Final progression-free survival results from the J-ALEX study of alectinib versus crizotinib in ALK-positive non-small-cell lung cancer. Lung Cancer. 2020 ; 139 : 195-199.

92) Mok T, Camidge DR, Gadgeel SM et al. Updated overall survival and final progression-free survival data for patients with treatment-naive advanced ALK-positive non-small-cell lung cancer in the ALEX study. Ann Oncol. 2020 ; 31 (8) : 1056-1064.

93) Camidge DR, Kim HR, Ahn MJ et al. Brigatinib versus Crizotinib in ALK-Positive Non-Small-Cell Lung Cancer. N Engl J Med. 2018 ; 379 (21) : 2027-2039.

94）Shaw AT, Bauer TM, de Marinis F et al；CROWN Trial Investigators. First-Line Lorlatinib or Crizotinib in Advanced ALK-Positive Lung Cancer. N Engl J Med. 2020；383（21）：2018-2029.

95）Schöffski P, Sufliarsky J, Gelderblom H et al. Crizotinib in patients with advanced, inoperable inflammatory myofibroblastic tumours with and without anaplastic lymphoma kinase gene alterations（European Organisation for Research and Treatment of Cancer 90101 CRE-ATE）：a multicentre, single-drug, prospective, non-randomised phase 2 trial. Lancet Respir Med. 2018；6（6）：431-441.

96）Takeyasu Y, Okuma HS, Kojima Y et al. Impact of ALK Inhibitors in Patients With ALK-Rearranged Nonlung Solid Tumors. JCO Precis Oncol. 2021；5：PO.20.00383.：756-766.

97）Trahair T, Gifford AJ, Fordham A et al. Crizotinib and Surgery for Long-Term Disease Control in Children and Adolescents With ALK-Positive Inflammatory Myofibroblastic Tumors. JCO Precis Oncol. 2019；3：PO.18.00297.：1-11.

98）O'Donohue T, Gulati N, Mauguen A et al. Differential Impact of ALK Mutations in Neuroblastoma. JCO Precis Oncol. 2021；5：PO.20.00181.

99）Foster JH, Voss SD, Hall DC et al. Activity of Crizotinib in Patients with ALK-Aberrant Relapsed/Refractory Neuroblastoma: A Children's Oncology Group Study（ADVL0912）. Clin Cancer Res. 2021；27（13）：3543-3548.

11 成人・小児進行固形がんにおける臓器横断的ゲノム診療の費用対効果

　この項では，臓器横断的（Tumor-agnostic）ゲノム診療の費用対効果について，高頻度マイクロサテライト不安定性（以下，MSI-H）固形がんに対する免疫チェックポイント阻害薬・*NTRK*融合遺伝子陽性の固形がんに対するTRK阻害薬に関して現状のエビデンスを整理する。なお，遺伝子診断そのものの費用対効果については，カナダの医療技術評価（Health Technology Assessment：HTA）機関CADTHなどで評価がなされ，概ね良好であるという結果が出されている[1]が，本稿では診断後の治療薬の使用を取り扱う。免疫チェックポイント阻害薬・TRK阻害薬ともに高額であり，その費用対効果に関する評価は急務である。

　特定の薬剤の費用対効果を評価した上で，その情報を公的医療制度で使えるか否か（給付の可否）や給付価格の調整（価格調整）に反映させる機関をHTA機関と称する。免疫チェックポイント阻害薬の既存の適応症，すなわち非小細胞性肺がん・メラノーマ・腎がんその他の患者への費用対効果は，諸外国のHTA機関で数多くの評価がなされている。

　2016年から試行的導入が始まった日本でも，ニボルマブ（オプジーボ）・ペムブロリズマブ（キイトルーダ）が費用対効果評価のデータ提出対象となった。ペムブロリズマブは2018年12月に臓器横断的な適応として「MSI-Hを有する固形がん」が追加されたが，費用対効果のデータ提出指定（2018年6月）の後に臓器横断的適応が追加されたこと，あわせて当時のルールではペムブロリズマブのような新規収載品は，費用対効果の結果による価格調整は行わない規定だったことから，MSI-Hに対する検討は行われていない。

　2019年4月からの本格導入後は，原則として新規収載時に費用対効果データ提出の要否が判断されることになった。この時点以降で，NTRK阻害薬として2019年8月にエヌトレクチニブ（ロズリートレク）が，2021年5月にラロトレクチニブ（ヴァイトラックビ）が薬価収載されているが，どちらの薬剤もデータ提出の対象には指定されていない。

＜MSI-H固形がんに対する免疫チェックポイント阻害薬＞

　英国のHTA機関NICEはMSI-H・dMMRの患者について，未治療転移性大腸がん患者へのペムブロリズマブ単剤[2]（TA709・2021年7月）・既治療転移性大腸がん患者へのニボルマブ＋イピリムマブ併用[3]（TA716・2021年7月）の評価を公表済みである。進行中のものとして，既治療転移性子宮内膜がん患者へのドスタルリマブ単剤（GID-TA10670・2022年1月公表予定）・既治療転移性大腸がん患者へのニボルマブ単剤（GID-TA10165・時期未定）・未治療転移性大腸がん患者へのペムブロリズマブ単剤（GID-TA10110・時期未定）がある。

　すでに結果が出ている2つの評価（TA709・TA716）は，いずれも薬剤の給付を推奨（実質的な意味合いとしては，英国の公的医療サービス・NHSでの使用を許可）している。

　TA709では，ペムブロリズマブ単剤を標準治療を比較対照として評価している。CAPOX・FOLFIRI・FOLFOX療法の効果はKEYNOTE-177試験の結果（PFSのハザード比0.60（95％CI：0.45－0.80），OSのハザード比0.77（95％CI：0.54－1.09））を用い，標準治療にパニツムマブもしくはセツキシマブを追加した治療法の効果は直接の臨床試験が存在しないため，ネットワークメタアナリシスによって評価している。結果として，「有効無効にかかわらず，ペムブロリズマブの投与期間は2年間に限定する」「企業が非公開の値引きを行

う」前提のもとで，どの薬剤を比較対照においた場合でもペムブロリズマブの増分費用効果比 ICER は 1QALY 獲得あたり 2 万ポンドを下回り，費用対効果は良好であると判断され，NHS での給付が推奨された。

TA716 では，ニボルマブ＋イピリムマブ併用療法を，標準治療（二次治療：FOLFOX，FOLFIRI，BSC，三次治療：トリフルリジン/チピラシル，BSC）と比較した。ニボルマブ＋イピリムマブ併用療法の有効性は単群試験の Checkmate142 試験を用い，各治療法の臨床試験の結果と間接比較により費用対効果の数値を求めている。結果として，企業が値引きを行う前提の元では，どの比較対照に対してもニボルマブ＋イピリムマブ併用療法の増分費用効果比 ICER は 1QALY 獲得あたり 2 万ポンドを下回り，TA709 と同様に給付が推奨された。

なお，TA709・TA716 ともに，該当薬剤や比較対照の薬剤に非公開の値引きが適用されているため，各群の総費用・薬剤費用などの詳細は非公開となっている。

個別の研究でも，MSI-H・dMMR の固形がん患者を対象としたものが 3 報報告されている。

Chu ら[4]は，米国での MSI-H・dMMR の大腸がん患者への三次治療および一次治療に関し，ニボルマブ単剤・ニボルマブ・イピリムマブ併用療法の費用対効果を，既存の治療薬（三次治療はトリフルリジン・チピラシル，一次治療は mFOLFOX＋セツキシマブ）と比較している。アウトカム指標は生存年 LY および質調整生存年 QALY をとった。マルコフモデルを用いて生涯の期待費用・期待アウトカムを推計した結果は，いずれのケースでも併用療法・単剤療法・既存治療の順に費用も高く，効果（QALY および LY）が大きくなった。1QALY 獲得あたりの増分費用効果比（ICER）は，三次治療では単剤療法 vs 既存治療で USD153,000/QALY，併用療法 vs 既存治療で USD162,700/QALY。一次治療では単剤療法 vs 既存治療で USD150,700/QALY，併用療法 vs 既存治療で USD158,700/QALY となり，費用対効果の良し悪しの基準値である USD100,000/QALY を大きく上回った。費用対効果を改善するためには，価格の引き下げやニボルマブの投与期間の上限設定が重要と結論している。

Barrington ら[5]は，米国の再発子宮内膜がん患者へのペムブロリズマブ単剤療法の費用対効果を，リポソーム化ドキソルビシン（PLD）およびベバシズマブと比較している。分析は MSI-H 患者とそれ以外で層別化して実施された。全生存期間（OS）の中央値のデータが得られなかったため，「OS2 年以上を達成できた患者数」をアウトカム指標にした評価を実施した。MSI-H 集団での達成患者数 1 人増加あたりの ICER は，ペムブロリズマブ vs PLD で USD 147,249 となった。論文中では，費用対効果の基準値を「達成患者 1 人増加あたり USD 200,000」と設定し，費用対効果は良好と結論している。ただし，論文中でも言及はあるものの，「達成患者 1 人増加あたりの ICER」の基準値を「生存年数 1 年延長あたり」「1QALY 獲得あたり」の基準値から設定するのは問題も多く，この数字のみで費用対効果の良し悪しを断定するのはやや難しい。

再発子宮内膜がんへのペムブロリズマブ単剤療法については 2021 年に Thurgar ら[6]が，更新された OS・PFS のデータを用いて分割生存モデルを構築し，費用対効果の評価を行っている。この段階でも OS のデータは中央値が得られていないが，これまで得られたデータに確率分布をあてはめて外挿することで，長期の OS・PFS の生存曲線を描画して分析を実施している。結果として，ペムブロリズマブの ICER は USD 58,165/QALY と，基準値である

Ⅴ　その他　　97

USD 100,000/QALY を大きく下回った。確率感度分析の結果では，ICER が 10 万ドル以下となる（費用対効果に優れる）確率は 90.1％であった。これらの結果をもとに，ペムブロリズマブの費用対効果は良好と結論している。

日本での MSI-H・dMMR 患者への免疫チェックポイント阻害薬使用の費用対効果を判断することは，現状では有効性データ，特に比較対照との相対的有用性を評価したデータが十分に整備されていないことや，海外のデータを国内に外挿することの困難さ（特に費用データ）もあり，やや困難である。ただ，薬剤の価格や財政影響への注目が高まっている中，有効性や安全性に加えて費用対効果に関する情報を提供することは，薬剤の価値判断に不可欠ともいえる。今後長期の臨床データなどをもとにした，さらなる研究が望まれる。

＜NTRK 融合遺伝子陽性の固形がんに対する TRK 阻害薬＞

英国 NICE は，NTRK 阻害薬のエヌトレクチニブ[7]（TA644）・ラロトレクチニブ[8]（TA630）ともに評価を実施しており，双方ともがん種を問わない NTRK 陽性のがん患者について，使用を推奨している。ただし，両薬剤ともに臨床試験のデータはきわめて限られており，結果の不確実性は大きい。そのため，通常の推奨ではなく，企業に追加的な臨床試験を課し，データを収集する間は臨時の予算で給付する・データが出そろった段階で改めて最終判断を行うという Cancer Drugs Fund（CDF）のシステムが適用されている。MSI-H のペムブロリズマブ・ニボルマブと同様に，非公開の値引きも実施されている。

NTRK 阻害薬関連の個別の費用対効果の研究は，仮想的な薬剤に関して階層ベイズモデルを用いて費用対効果のモデル構築を試みた Murphy らの研究がある[9]が，具体的な薬剤を題材にした研究はない。

＜TMB-H 固形がんに対する免疫チェックポイント阻害薬＞

TMB-H 固形がんへの免疫チェックポイント阻害薬について，NICE は 2018 年から未治療・TMB-H 非小細胞性肺がん患者へのニボルマブ＋イピリムマブ併用療法の評価を進めていた（GID-TA10234）。しかし当該適応についての EMA の承認申請を中断することを企業が決定し，2020 年 3 月に評価が中断されている。2021 年 1 月現在でも，TMB-H に関する EMA の承認は得られていない（ペムブロリズマブも同様）。

個別の研究では Hu らが，Checkmate227 試験の結果を用いて同じ適応（未治療・TMB-H の NSCLC 患者へのニボルマブ＋イピリムマブ併用療法）の費用対効果を評価している[10]。PD-L1 の発現レベル（50％以上，1％以上，1％未満）と，TMB-H（100 万塩基あたり 10 カ所以上）の有無で層別化しつつ，マルコフモデルによって米国での生涯の医療費と QALY を推計した。TMB-H の患者では，併用療法の導入により通常化学療法と比較して費用は 14 万ドル増大するが，獲得 QALY は 2.04QALY 増加し，生存年数 LY は 3.54 年延長される。ICER は 69,183 ドル/QALY もしくは 39,864 ドル/LY で，米国で費用対効果が良好とされる基準（15 万ドル/QALY）を大きく下回り，「費用対効果に優れる」と結論している。なお PD-L1 で層別化した場合，50％以上および 1％以上の集団では費用対効果に優れ，1％未満の患者では費用対効果に劣る結果になった。

Li らは，既治療の NSCLC 患者に対するアテゾリズマブ単剤療法の費用対効果を，検査な

し・PD-L1 検査あり（カットオフ値 1% 以上）・TMB-H 検査あり（カットオフ値は 100 万塩基あたり 16 カ所以上）の 3 戦略について，いずれもドセタキセルを比較対照において評価した。Hu らと同様にマルコフモデルを用い，中国および米国の 2 カ国の状況をおいて分析している[11]。アテゾリズマブの費用と効果を 3 戦略どうしで比較した場合には，TMB-H 検査ありの戦略が最も費用対効果が良好であり，検査なしと比較すると費用は削減・効果（QALY）は増大する dominant となった。ただし，比較対照であるドセタキセルとの分析では，1QALY あたりの ICER は中国・米国双方のシナリオで 130 万ドル/QALY 程度と，アテゾリズマブの費用対効果は極めて悪くなった。すなわち，「アテゾリズマブを使用する」前提であれば TMB-H 検査の導入は費用対効果に優れるが，アテゾリズマブそのものの費用対効果を（非使用すなわちドセタキセル療法の場合と）比較した場合には，費用対効果は悪化するという結論になる。Li らの研究は既治療の NSCLC 患者を対象にしており，Hu らの未治療 NSCLC 患者への研究とは単純に比較できないことには注意が必要である。

＜臓器横断的抗がん剤の費用対効果の課題＞

　NICE の Cooper ら[12]は，臓器横断的抗がん剤の評価について，種々の論点をまとめた解析を BMJ に寄稿している。HTA 機関が評価する際にまず問題となるのは，薬剤のターゲットとなる遺伝子変異の発現率の低さである。患者数が限定されるため，RCT での評価は難しい。そのため，原発部位を限定せずに変異を持つ患者を集めて，対照群をおかずに評価を行う "basket trial" が一般的である。様々ながん種の患者が混在しているため，アウトカム指標は無増悪生存期間（PFS）や全生存期間（OS）のようなものさしよりも，数字を統合しやすい治療反応率などがよく用いられる。FDA や EMA のような承認審査を行う機関は，ある程度の期間治療反応性が持続すれば有効性は担保されるとの立場である。例えばラロトレクチニブであれば，17 のがん種から 55 人を集めた basket trial において，71% の患者で 1 年以上治療反応が続いている結果を持って承認を下している。

　少ない症例数，単群試験に頼らざるを得ないため，HTA 機関の評価に必要な有効性や費用対効果のデータは，群内でも必然に大きくばらつくことになる。通常の薬剤の HTA ならば，臨床的に明確に（Clinically distinct）区切れるサブ集団を設定し，集団ごとに評価を行うことになる。（Cooper らの表現にあるとおり，「費用対効果の数値が変わる集団をすべて切り刻む」のではなく，「臨床的に明確に区切れる」ことが重要である）しかし，元々症例数が限られた状況でがん種ごとのサブ集団の切り分けを行えば，統計的検出力は大きく損なわれる。そのため，適応のあるすべての集団をプールした上で，全体に対する費用対効果を算出して評価する必要が出てくる。個別のがん種への効率性については，十分な情報が得られないケースも多くなる。

　単群試験の限界と，反応率のような代理のアウトカムから LY や QALY を推計する困難さが存在するため，意思決定の際の不確実性はどうしても高くなる。追加のエビデンス収集と引き換えに収集期間中は臨時予算で給付を行う CDF のようなシステムは，不確実性のリスクを回避する手段として有用であるが，上市後の広汎なデータ収集を課すことをためらう国も多い。そのため，価格引き下げなどで対応することも一般的である。Cooper ら[12]は，製薬会社・規制当局・HTA 機関が連携して，臓器横断的抗がん剤に関して市販後のエビデンス

収集体制を整えることや，個別の評価が始まる前に企業と HTA 機関との間で十二分に情報交換を行うことを提言している。承認前に取得可能なデータが乏しくなおかつ不確実な臓器横断的抗がん剤へのアクセスを確保するために，市販後のデータの収集システムと，更新されたデータを意思決定に活用するシステムとを構築することは極めて重要だと結論している。

　今回取り扱ったゲノム診療は，他に治療法の存在しない患者をターゲットにするものも多い。このような薬剤の評価に際しては，単に費用対効果の数値（すなわち，増分費用効果比 ICER の大小）だけでなく，費用対効果以外の倫理・社会的要素の評価や，財政全体への影響をも含めた意思決定が重要になる。上で紹介した英国 NICE の 4 つの評価でも，医療上のニーズの高さやイノベーションなど，いわゆる費用対効果では測り切れない価値の要素が，定性的に考慮されている。単に費用と効果をはかるスタイルではなく，このような希少疾病の評価においてどのような要素を盛り込んでいくのか，広汎な視点からの評価が強く望まれる。

　なお英国の公的医療サービス NHS は，「COVID-19 パンデミック禍でのがん治療の指針」において，免疫抑制剤の使用を最小限にとどめ，なおかつ医療資源の消費を少なくできる（投与回数が少ない・経口で使用可能など）治療を優先すべきという指針を出している[13]。この中で，MSI-H の尿路上皮がん・上部消化管がん・大腸がんについて，他の薬剤に比して投与頻度を少なくできるニボルマブ・ペムブロリズマブの単剤療法を上の NICE 評価とは別枠で推奨している。臓器横断的治療薬の新たな価値の側面として，注目に値する評価である。

参考文献

1) CADTH. OP0522. Mismatch Repair Deficiency Testing for Colorectal Cancer Patients.［URL：https://cadth.ca/mismatch-repair-deficiency-testing-colorectal-cancer-patients］
2) NICE. TA709. Pembrolizumab for untreated metastatic colorectal cancer with high microsatellite instability or mismatch repair deficiency. NICE, 2021.［URL：https://www.nice.org.uk/guidance/ta709］
3) NICE. TA716. P Nivolumab with ipilimumab for previously treated metastatic colorectal cancer with high microsatellite instability or mismatch repair deficiency. NICE, 2021 ［URL：https://www.nice.org.uk/guidance/ta716］
4) Chu JN, Choi J, Ostvar S et al. Cost-effectiveness of immune checkpoint inhibitors for microsatellite instability-high/mismatch repair-deficient metastatic colorectal cancer. Cancer. 2019；125（2）：278-289.
5) Barrington DA, Dilley SE, Smith HJ et al. Pembrolizumab in advanced recurrent endometrial cancer：A cost-effectiveness analysis. Gynecol Oncol. 2019；153（2）：381-384.
6) Thurgar E, Gouldson M, Matthijsse S et al. Cost-effectiveness of pembrolizumab compared with chemotherapy in the US for women with previously treated deficient mismatch repair or high microsatellite instability unresectable or metastatic endometrial cancer. J Med Econ. 2021；24（1）：675-688.
7) NICE. TA644. Entrectinib for treating NTRK fusion-positive solid tumours. NICE, 2020.［URL：https://www.nice.org.uk/guidance/ta644］
8) NICE. TA630. Larotrectinib for treating NTRK fusion-positive solid tumours. NICE, 2020.［URL：https://www.nice.org.uk/guidance/ta630］
9) Murphy P, Claxton L, Hodgson R et al. Exploring Heterogeneity in Histology-Independent Technologies and the Implications for Cost-Effectiveness. Med Decis Making. 2021；41（2）：

165-178.

10) Hu H, She L, Liao M, et al. Cost-Effectiveness Analysis of Nivolumab Plus Ipilimumab vs. Chemotherapy as First-Line Therapy in Advanced Non-Small Cell Lung Cancer. Front Oncol. 2020；10：1649.

11) Li WQ, Li LY, Bai RL, et al. Cost-effectiveness of programmed cell death ligand 1 testing and tumor mutational burden testing of immune checkpoint inhibitors for advanced non-small cell lung cancer. Chin Med J（Engl）. 2020；133（21）：2630-2.

12) Cooper S, Bouvy JC, Baker L et al. How should we assess the clinical and cost effectiveness of histology independent cancer drugs? BMJ. 2020；368：l6435.

13) NHS. NHS England interim treatment options during the COVID-19 pandemic. NHS, 2021. ［URL：https://www.nice.org.uk/guidance/ng161/resources/nhs-england-interim-treatment-options-during-the-covid19-pandemic-pdf-8715724381］

成人・小児進行固形がんにおける
臓器横断的ゲノム診療のガイドライン
第3版 2022年2月

2019年10月24日　第2版（2019年10月）発行
2022年2月20日　第3版（2022年2月）第1刷発行

編　集　公益社団法人　日本臨床腫瘍学会
　　　　一般社団法人　日本癌治療学会
　　　　一般社団法人　日本小児血液・がん学会

発行者　福村　直樹
発行所　金原出版株式会社
　　　　〒113-0034 東京都文京区湯島 2-31-14
　　　　電話　編集　(03)3811-7162
　　　　　　　営業　(03)3811-7184
　　　　FAX　　　　(03)3813-0288　　　　　　　ⓒ2019, 2022
　　　　振替口座　00120-4-151494　　　　　　検印省略
　　　　http://www.kanehara-shuppan.co.jp/　　Printed in Japan

ISBN 978-4-307-10214-8　　　　印刷・製本／三報社印刷㈱

JCOPY ＜出版者著作権管理機構　委託出版物＞
本書の無断複製は著作権法上での例外を除き禁じられています．複製される場合は，
そのつど事前に，出版者著作権管理機構（電話 03-5244-5088，FAX 03-5244-5089，
e-mail : info@jcopy.or.jp）の許諾を得てください．

小社は捺印または貼付紙をもって定価を変更致しません．
乱丁，落丁のものはお買上げ書店または小社にてお取り替え致します．

WEBアンケートにご協力ください
読者アンケート（所要時間約3分）にご協力いただいた方の中から
抽選で毎月10名の方に図書カード1,000円分を贈呈いたします．
アンケート回答はこちらから ➡

https://forms.gle/U6Pa7JzJGfrvaDof8